To the teacher

All the following activities are reproducible for classroom use and may be enlarged and colored to be further enhanced.
To do otherwise would be an infringement upon copyright.

All activities and illustrations by Lisa Haughom

Edited by Ana Cecilia Carballo and Daisy Liliana Reina Shiffert

"Nuevos ejercicios para la clase de español" © 2006 Languages For Kids

www.langbks.com

Nuevos ejercicios para la clase de español

Las introducciones

Me llamo Elena. - My name is Elena.
Vivo en Montreal. - I live in Montreal.
Me gusta bailar. - I like to dance.
Me gusta el té. - I like tea.

caerse - to fall
cantar - to sing
la cocina española - Spanish cooking
darse un beso - to give each other a kiss
los deportes - sports
dibujar - to draw
esquiar - to ski
andar en bicicleta - to go bicycling
hacer canotaje - to go boating
patinar en línea - to roller blade
el helado - ice cream
ir al cine - going to the movies
ir de compras - to go shopping
ir de excursión a pie - to go on a hike
ir a nadar / bañarse - to go for a swim
ir de pesca - to go fishing
irse volando - to fly away
jugar al baloncesto - playing basketball
la música - music
nadar - to swim
pintar - to paint
la pizza - pizza
el queso - cheese
simpático/simpática - nice
super - great
trepar a un árbol - to climb up a tree
tejer - to knit
viajar - to travel

Yo soy español, española.
I am Spanish. - (masculine/feminine)
alemán, alemana - German
americano, americana - American
canadiense - Canadian
chino, china - Chinese
francés, francesa - French
inglés, inglesa - English
italiano, italiana - Italian
mexicano, mexicana - Mexican

Mi familia y mis amigos
My family and friends

mi padrastro/madrastra - my stepfather/stepmother
mi padre - my father
mi madre - my mother
mi hermano/hermana - my brother/sister
mi abuelo/abuela - my grandfather/grandmother
mi suegro/suegra - my father-in-law/
mother-in-law
mi cuñado/cuñada - my brother in law/
sister-in-law
mi esposo/esposa - my husband/wife
mi tío/tía - my uncle/aunt
mi hijo/hija - my son/daughter
mis hijos/hijas - my children
mi nieto/nieta - my grandson/granddaughter
mi yerno/nuera - my son-in-law/daughter-in-law
mi primo/prima - my cousin (masc)/(fem)
mi sobrino/sobrina - my nephew/niece
mi amigo/amiga - my friend(masc)/(fem)
mi novio/novia - my boyfriend/girlfriend
mi familia - my family

Yo colecciono tarjetas postales.
I collect postcards.
calcomanías (f) / pegatines (m) - stickers
camisetas (f) - T-shirts
CD / discos compactos (m) - CD's
conchas (f) - shells
imanes (m) - magnets
joyas (f) - jewelry
llaveros (m) - key chains
monedas (f) - coins
piedras (f) - stones
rompecabezas (m) - puzzles
timbres (m) - stamps
tiras cómicas (f) - comics

¿Y tú? ¿Cómo te llamas? ¿Dónde vives? ¿Cuál es tu nacionalidad?
¿Qué te gusta? ¿Qué coleccionas? ¿Tienes hermanos? ¿Tienes hermanas?

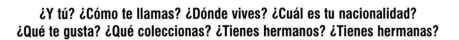

Las introducciones

¡Hola! Queremos presentarnos. Para saber quienes somos, lee lo que hay en cada burbuja y contesta a las preguntas. Hello! We want to introduce ourselves. To find out who we are, read what is in each bubble and answer the questions: **le gusta**... he/she likes..., **ella vive en**... she lives in..., **Lorenzo colecciona**... **Lorenzo** collects..., etc.

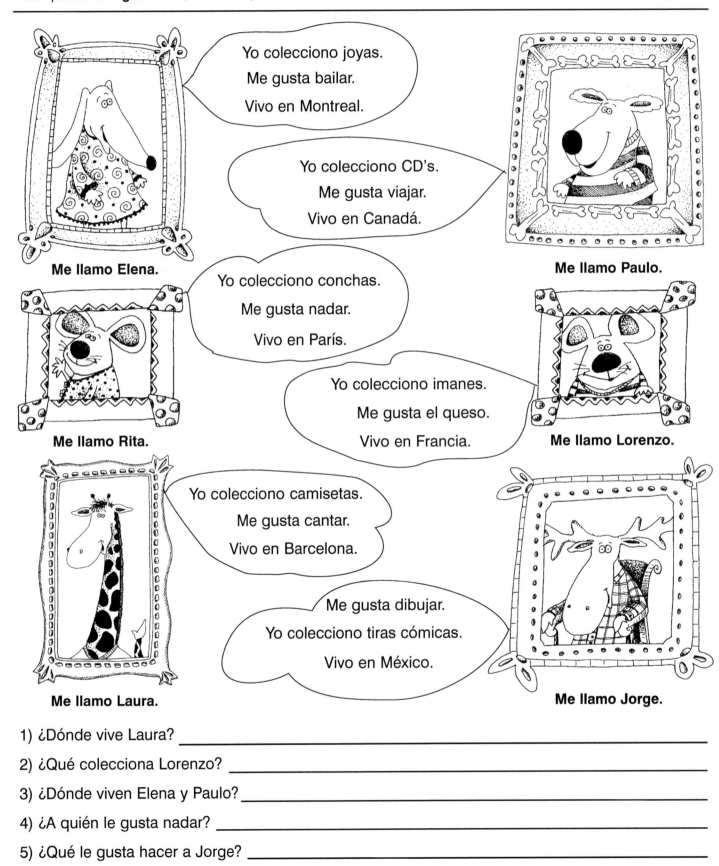

Yo colecciono joyas.
Me gusta bailar.
Vivo en Montreal.

Me llamo Elena.

Yo colecciono CD's.
Me gusta viajar.
Vivo en Canadá.

Me llamo Paulo.

Yo colecciono conchas.
Me gusta nadar.
Vivo en París.

Me llamo Rita.

Yo colecciono imanes.
Me gusta el queso.
Vivo en Francia.

Me llamo Lorenzo.

Yo colecciono camisetas.
Me gusta cantar.
Vivo en Barcelona.

Me llamo Laura.

Me gusta dibujar.
Yo colecciono tiras cómicas.
Vivo en México.

Me llamo Jorge.

1) ¿Dónde vive Laura? _____

2) ¿Qué colecciona Lorenzo? _____

3) ¿Dónde viven Elena y Paulo? _____

4) ¿A quién le gusta nadar? _____

5) ¿Qué le gusta hacer a Jorge? _____

2

Introducciones - 2

¿Quiénes son? Crea tus proprios personajes utilizando las listas de abajo.
Who are they? Create your own characters by using the lists below.

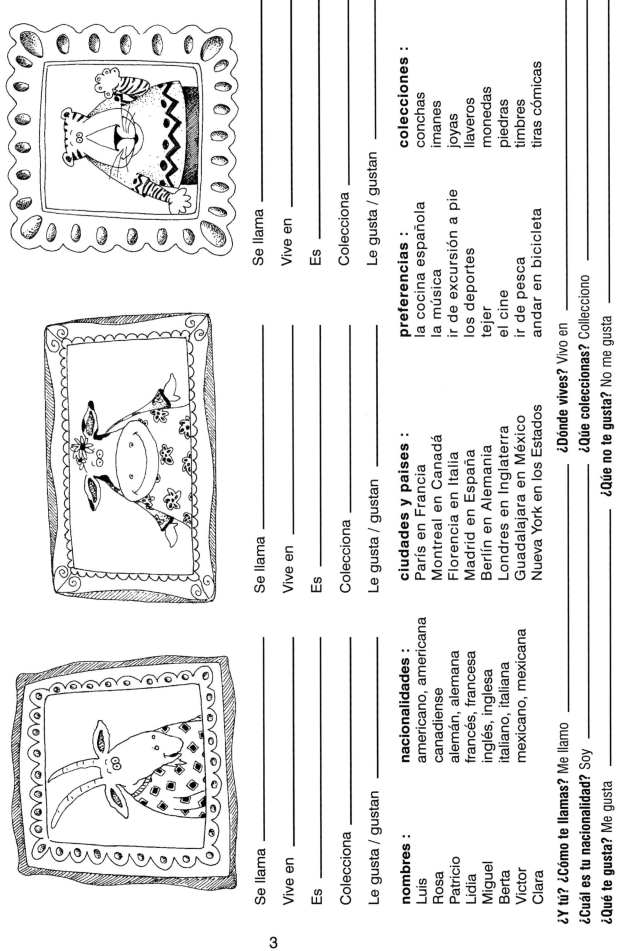

Se llama ——————

Vive en ——————

Es ——————

Colecciona ——————

Le gusta / gustan ——————

Se llama ——————

Vive en ——————

Es ——————

Colecciona ——————

Le gusta / gustan ——————

Se llama ——————

Vive en ——————

Es ——————

Colecciona ——————

Le gusta / gustan ——————

nombres :
Luis
Rosa
Patricio
Lidia
Miguel
Berta
Victor
Clara

nacionalidades :
americano, americana
canadiense
alemán, alemana
francés, francesa
inglés, inglesa
italiano, italiana
mexicano, mexicana

ciudades y países :
París en Francia
Montreal en Canadá
Florencia en Italia
Madrid en España
Berlín en Alemania
Londres en Inglaterra
Guadalajara en México
Nueva York en los Estados

preferencias :
la cocina española
la música
ir de excursión a pie
los deportes
tejer
el cine
ir de pesca
andar en bicicleta

colecciones :
conchas
imanes
joyas
llaveros
monedas
piedras
timbres
tiras cómicas

¿Y tú? ¿Cómo te llamas? Me llamo ——————

¿Cuál es tu nacionalidad? Soy ——————

¿Dónde vives? Vivo en ——————

¿Qué colecciones? Collecciono ——————

¿Qué te gusta? Me gusta ——————

¿Qúe no te gusta? No me gusta ——————

Me gusta...

¿Qué les gusta a Luis y a Lila, ? Para saberlo, pon en orden las letras. ¿Y tú?
¿Qué te gusta? Me gusta... ¿Qué no te gusta? No me gusta... What do Luis and Lila like?
To find out what they like, put the letters back in order. What do you like? I like... What don't you like? I don't like...

A Luis, le

rajgu la seactbnloo

_____

atrinp

_____

al zaizp

_____

qraseiu

_____

la icasmú

_____

A Lila, le

rpitaan ne íaenl

_____

ri de proscam

_____

raliba

_____

el haelod

_____

ri la ecni

_____

4

La familia de Paulo

Yo te presento a mi familia. Completa las frases utilizando las palabras siguientes: madre, padre, hermano, hermana, hijo, hija, tío, tía, primo, prima.
Here is my family. Complete the following sentences by using the following words.

Soy Paulo Arieta. Soy el hijo de Señor y Señora Arieta. Lidia es mi hermana.

Me llamo María Arieta. Soy la madre de Paulo y Lidia.

Mi _____ y mi

_____ se llaman Señor y

Señora Arieta. Soy su _____

y Lidia es su _____ . Lidia

es mi _____ también.

Juaquín es el _____ de mi

padre y mi _____ . La

hermana de mi madre es mi

_____ . Se llama Daniela.

Ella es la esposa de Miguél y

tienen dos hijos. Su hija Julia, es mi

_____ y su hijo Patricio, es

mi _____ . Yo amo

Me llamo Ramón Arieta. Soy el padre de Paulo y Lidia.

Me llamo Juaquín Arieta. Soy el hermano de Ramón y el tío de Paulo y Lidia.

Soy Miguel. Mi esposa se llama Daniela. Tenemos dos hijos y soy el tío de Paulo y Lidia.

Soy Julia. Soy la prima de Paulo y Lidia.

Me llamo Lidia. Soy la hija de Señor y Señora Arieta y la hermana de Paulo.

Gracias Tía Daniela!

Me llamo Daniela. Soy la hermana de María, la madre de Julia y Patricio, y la tía de Paulo y Lidia.

Soy Patricio. Soy el primo de Paulo y Lidia.

La familia de Elena

**Mi álbum de fotos.
Aquí hay algunas fotos de mi familia. Completa las frases siguientes utilizando el vocabulario de abajo.**

Elena's Family

My photo album. Here are a few photos of my family. Complete the following sentences by using the vocabulary below.

Lidia y Tomás son los padres de Graciela. Son mis abuelos.

José y Graciela son mis padres.

Sara y Victor. Sara es la hermana de José y mi tía.

Daniel es mi hermano y el hijo de José y Graciela.

Eloisa es mi hermana y la hija de José y Graciela.

Javier y Clara son los hijos de Sara y Victor. Son mis primos.

**madre • tía • abuelo • hermano • abuela • primo
hermana • prima • abuelos • padre • primos • tío**

Mi _____ y mi _____ se llaman José y Graciela. Les gusta hacer canotaje en el lago cerca de nuestra casa. Pobre papá se cayó del barco cuando su gorra se fue volando. Se divirtieron de todos modos. Eloisa, mi _____, tiene un año y medio. A ella, le gusta trepar el árbol en nuestro jardín. Daniel, mi _____, trata de aprender a patinar en línea. (Todavía él no lo ha dominado.) Tomás es mi _____ y Lidia es mi _____. Ellos son mis _____. Les gusta darse besos. Son adorables. A Sara, mi _____, le gusta mucho andar en bicicleta con mi _____ Victor. Ellos son super sobre su tándem. Sus hijos, Javier mi _____ y Clara mi _____ muchas veces se van a nadar en la piscina de al lado. Mis _____ son muy simpáticos. Ésta es mi familia.

6

Los números - Numbers

0	-	**cero**		**50**	-	**cincuenta**
1	-	uno **(un, una)**		51	-	cincuenta y uno (un)
2	-	dos		52	-	cincuenta y dos
3	-	tres		**60**	-	**sesenta**
4	-	cuatro		61	-	sesenta y uno (un)
5	-	cinco		62	-	sesenta y dos
6	-	seis		**70**	-	**setenta**
7	-	siete		71	-	setenta y uno (un)
8	-	ocho		72	-	setenta y dos
9	-	nueve		**80**	-	**ochenta**
10	-	**diez**		81	-	ochenta y uno (un)
11	-	once		82	-	ochenta y dos
12	-	doce		**90**	-	**noventa**
13	-	trece		91	-	noventa y uno (un)
14	-	catorce		92	-	noventa y dos
15	-	quince		**100**	-	**cien**
16	-	dieciséis		101	-	ciento uno (una)
17	-	diecisiete		178	-	ciento setenta y ocho
18	-	dieciocho		200	-	**doscientos/doscientas**
19	-	diecinueve		201	-	doscientos uno (una)
20	-	**veinte**		300	-	**trescientos/trescientas**
21	-	veintiuno (un)		400	-	**cuatrocientos/cuatrocientas**
22	-	veintidós		500	-	**quinientos/quinientas**
23	-	veintitrés		600	-	**seiscientos/seiscientas**
24	-	veinticuatro		700	-	**setecientos/setecientas**
25	-	veinticinco		800	-	**ochocientos/ochocientas**
26	-	veintiséis		900	-	**novecientos/novecientas**
27	-	veintisiete		1000	-	**mil**
28	-	veintiocho		1001	-	mil uno
29	-	veintinueve		1627	-	mil seiscientos veintisiete
30	-	**treinta**		2000	-	**dos mil**
31	-	treinta y uno (un)		100 000	-	**cien mil**
32	-	treinta y dos		1 000 000	-	**un millón**
40	-	**cuarenta**		2 000 000	-	**dos millones**
41	-	cuarenta y uno (un)		1 000 000 000	-	**mil millones**

tener - to have

yo tengo - I have, I do have
tú tienes - you have (fam. sing.), ...
usted tiene - you have...
él/ella tiene - he/she has, ...

nosotros tenemos - we have, ...
vosotros tenéis - you have (pl.), ...
ustedes tienen - you have (formal pl.), ...
ellos/ellas tienen - they have(masc./fem. pl.), ...

**¿Cuantos años tiene Paulo? Paulo tiene un año. ¿Cuantos años tienes? Tengo
___ años.** How old is Paulo? Paulo is one year old. How old are you? I am ___ years old.

Los números - la edad

¿Cuantos años tienen? Cuenta las velas y completa las frases siguientes.
How old are they? Count the candles and complete the following sentences.

1.

Raúl el zorro tiene
_____ años.

2.

Paquita la puerquita
tiene _____ años.

3.

Luis el tigre tiene
_____ años.

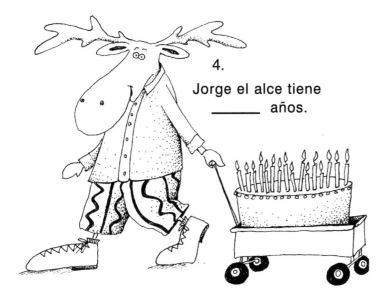

4.

Jorge el alce tiene
_____ años.

5.

Mario el mapache
tiene _____ años.

6.

Paulo el perro
tiene _____ años.

7.

Olivia la oveja
tiene _____ años.

8.

Rita la ratona tiene
_____ años.

Los números

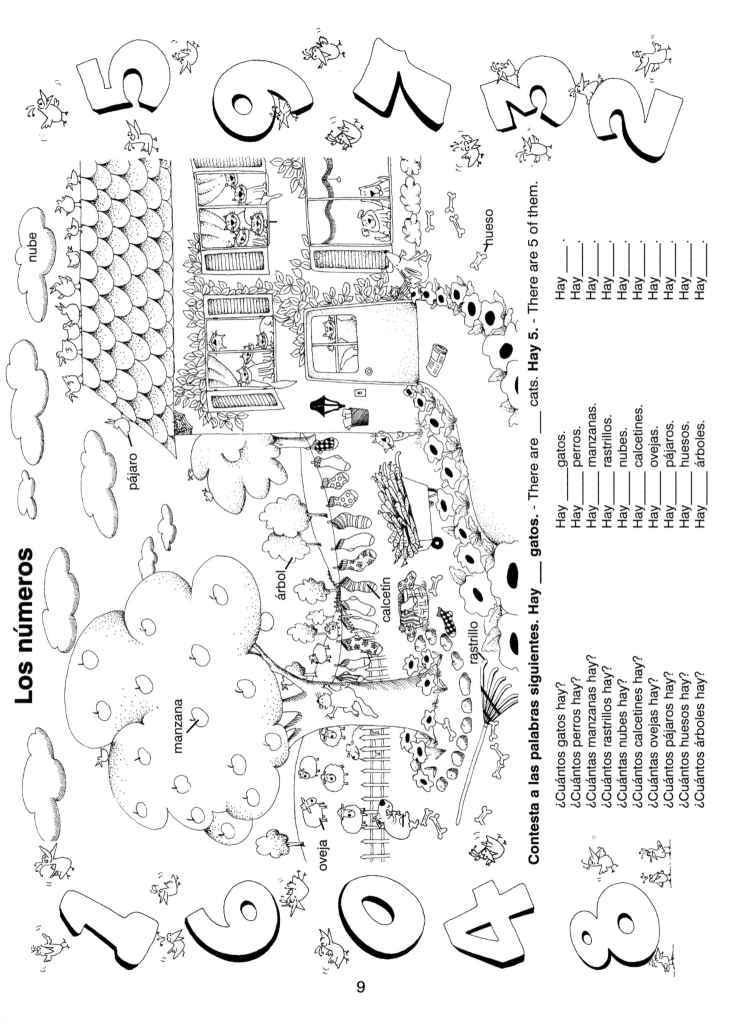

nube

pájaro

manzana

árbol

calcetín

oveja

rastrillo

hueso

Contesta a las palabras siguientes. Hay ___ gatos. - There are ___ cats. **Hay 5.** - There are 5 of them.

¿Cuántos gatos hay?
¿Cuántos perros hay?
¿Cuántas manzanas hay?
¿Cuántos rastrillos hay?
¿Cuántas nubes hay?
¿Cuántos calcetines hay?
¿Cuántas ovejas hay?
¿Cuántos pájaros hay?
¿Cuántos huesos hay?
¿Cuántos árboles hay?

Hay ___ gatos.
Hay ___ perros.
Hay ___ manzanas.
Hay ___ rastrillos.
Hay ___ nubes.
Hay ___ calcetines.
Hay ___ ovejas.
Hay ___ pájaros.
Hay ___ huesos.
Hay ___ árboles.

Hay ___.
Hay ___.
Hay ___.
Hay ___.
Hay ___.
Hay ___.
Hay ___.
Hay ___.
Hay ___.
Hay ___.

Las profesiones

¿Cuál es tu profesión? - What is your profession? **Soy fotógrafo / fotógrafa.** - I'm a photographer.

abogado/a - lawyer
actor (m), actriz (f) - actor, the actress
agente immobiliario/ia - real estate agent
agente de viajes - travel agent
albañíl - mason
arquitecto/a - architect
artista - artist
astronauta - astronaut
bailarín/bailarina - ballerina
bombero - fireman
cajero/cajera - cashier
cantante - singer
camarero/camarera - waiter
camionero/camionera - truck driver
carpintero - carpenter
cartero/a - mailman
cocinero/cocinera - cook
contador/a - accountant
corredor/a de bolsa - broker
costurera - dressmaker
dentista - dentist
director/a - manager, principal
diseñador/a - designer
ejecutivo/a - executive
electricista - electrician
enfermero/a - nurse
escritor/a - writer
fotógrafo/a - photographer
futbolista - football/soccer player
gimnasta - gymnast
jardinero/a - gardener
jefe/jefa - boss
juez - judge
ingeniero/a - engineer
maestro/maestra - teacher
marinero - sailor
mecánico - mechanic
médico/a - doctor
mensajero/a - courier
músico/a - musician
operador/a de computadoras - computer operator
panadero/a - baker
peluquero/peluquera - hairdresser
periodista - journalist
piloto - pilot
pintor/a - painter
plomero/a - plumber
policía - policeman
profesor/a - teacher, professor
programador/a - computer programmer
representante comercial - commercial representative
taxista - taxi driver
vendedor/a - salesman/saleslady

ser - to be

yo soy - I am
tú eres - you are (familiar singular)
usted es - you are (formal singular)
él/ella es - he/she is

vosotros sois - you are (pl.)
nosotros somos - we are
ellos/ellas son - they are (masc./fem. pl.)
ustedes son - you are (formal plural)

Las profesiones

Asocia cada dibujo a una profesión utilizando el vocabulario de abajo.

Match each drawing to a profession by using the vocabulary below.

---

artista • pintor • cocinera • cartero • peluquera • plomero

carpintero • músico • albañil • operador de computadoras • cajera

jardinero • bombero • costurera • médico • camarero

1. _____

2. _____

3. _____

4. _____

5. _____

6. _____

7. _____

8. _____

9. _____

10. _____

11. _____

12. _____

13. _____

14. _____

15. _____

16. _____

Las profesiones

¿Cuál es tu profesión? Encuentra todas las profesiones en la lista, después escribe el número correcto al lado de cada profesión.

What is his or her profession? Find all of the professions on the list, then put the correct number next to each profession.

El es... He is...
Ella es... She is...

——	fotógrafo
——	camarero
——	contadora
——	vendedora
——	mecánico
——	periodista
——	bombero
——	actriz
——	albañil
——	cartero
——	peluquera
——	pintor
——	arquitecta
——	operador de computadoras
——	costurera
——	artista
——	médico
——	músico
——	cocinero
——	corredor de bolsa
——	profesor
——	agente immobiliario
——	bailarina
——	dentista
——	policía
——	enfermera
——	electricista
——	plomero
——	escritor

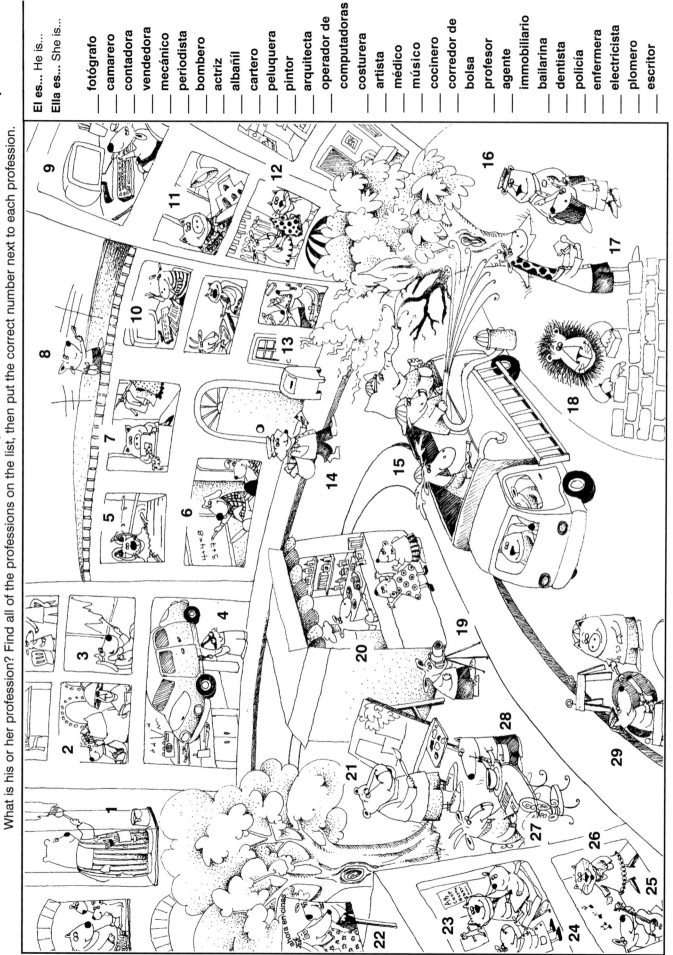

12

La hora y las actividades diarias

¿Qué hora es? - What time is it?
Es la una. - It is one o'clock. (1:00)
Son las dos. - It is two o'clock. (2:00)
Son las tres. - It is three o'clock. (3:00)
Son las cuatro. - It is four o'clock. (4:00)
Son las cinco. - It is five o'clock. (5:00)
Son las seis. - It is six o'clock. (6:00)
Son las siete. - It is seven o'clock. (7:00)
Son las ocho. - It is eight o'clock. (8:00)
Son las nueve. - It is nine o'clock. (9:00)
Son las diez. - It is ten o'clock. (10:00)
Son las once. - It is eleven o'clock. (11:00)
Es el mediodía./Son las doce. - It is noon. (12:00)
Es la medianoche./Son las doce de la noche. - It is midnight. (12:00)
Es la una y cinco. - It is five minutes after one. (1:05)
Son las dos y diez. - It is ten minutes after two. (2:10)
Son las tres y cuarto. - It is a quarter (fifteen minutes) after three. (3:15)
Son las seis y media. - It is six thirty. (6:30)
Son las seis treinta y cinco. - It is twenty-five minutes to seven. (6:35)
Son las ocho cuarenta y cinco. - It is a quarter (fifteen minutes) to nine. (8:45)
Son las ocho de la mañana. - It is eight o'clock in the morning. (8:00 a.m.)
Son las ocho de la noche. - It is eight o'clock in the evening. (8:00 p.m.)
Es la una de la tarde. - It is one o'clock in the afternoon. (1:00 p.m.)

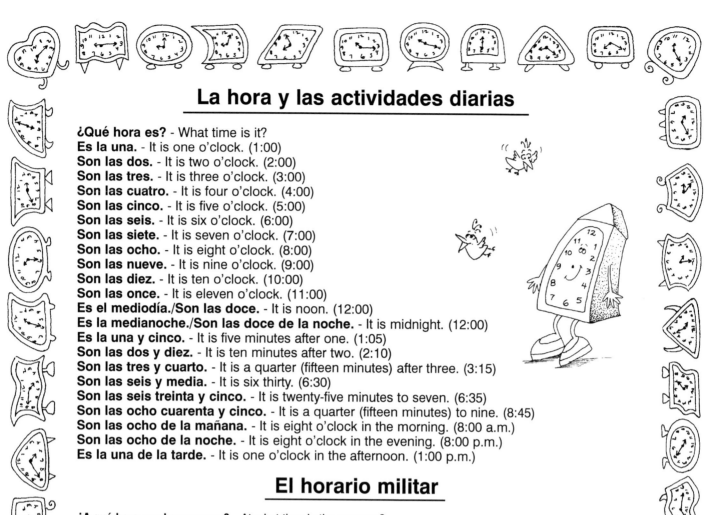

El horario militar

¿A qué hora es el programa ? - At what time is the program?
El programa es... - The program is...

a la una(1h00) - at 1:00 a.m.
a las dos(2h00) - at 2:00 a.m.
a las tres y cuarto(3h15) - at 3:15 a.m.
a las cuatro treinta(4h30) - at 4:30 a.m.
a las cinco treinta y cinco(5h35) - at 5:35 a.m.
a las seis cuarenta y cinco(6h45) - at 6:45 a.m.
a las siete cincuenta y cinco(7h55) - at 7:55 a.m.
a las ocho cinco(8h05) - at 8:05 a.m.
a las nueve(9h00) - at 9:00 a.m.
a las diez(10h00) - at 10:00 a.m.
a las once(11h00) - at 11:00 a.m.
a las doce(12h00) - at 12:00 noon

a las trece(13h00) - 1:00 in the afternoon
a las catorce(14h00) - 2:00 in the afternoon
a las quince(15h00) - 3:00 in the afternoon
a las diecisiés(16h00) - 4:00 in the afternoon
a las diecisiete(17h00) - 5:00 in the afternoon
a las dieciocho(18h00) - 6:00 in the evening
a las diecinueve(19h00) - 7:00 in the evening
a las veinte(20h00) - 8:00 in the evening
a las veinte y una(21h00) - 9:00 in the evening
a las veinte y dos(22h00) - 10:00 in the evening
a las veinte y tres(23h00) - 11:00 in the evening
a las veinte y cuatro(24h00/00h00) - midnight

El vocabulario

almorzar - to have lunch
cenar - to have dinner
despertarse - to wake up
desayunar - to have breakfast
dormirse - to fall asleep
ducharse - to take a shower
empezar a trabajar - to start working
ir de compras - to do errands (shopping)

ir a dar un paseo - to go for a walk
ir(se) al trabajo - to go to work
leer una novela - to read a novel
ver la televisión - to watch T.V. (television)
preparar la cena - to prepare dinner
salir de la oficina - to leave the office
vestirse - to get dressed

¿Qué hora es?

¿Qué hora es? Dibuja las manecillas para indicar la hora escrita debajo de cada reloj.
What time is it? Draw in the clock hands to indicate the time that is written underneath each clock.

1. Son las doce y diez de la noche.

2. Son las cuatro menos cinco.

3. Son las ocho y veinte.

4. Son las tres y media.

5. Son las cinco y cuarto.

6. Son las once.

7. Son las seis y veinticinco.

8. Son las nueve menos diez.

9. Son las doce menos cuarto.

10. Son las doce y media.

11. Es la una treinta y cinco.

La hora y las actividades diarias

Escribe la hora para todas estas actividades diarias.
The time and daily activities. Write the time for all these daily activities.

A _____
Paulo se despierta.

A _____
Olivia se ducha.

A _____
Raúl se viste.

A _____
Elena desayuna.

A _____
Luis se va al trabajo.

A _____
Paquita empieza a trabajar.

A _____
Clara almuerza.

A _____
José sale de la oficina.

A _____
Ramón va a dar un paseo.

El día y la hora - 2

A _____
Camilia va de compras.

A _____
Patricio prepara la cena.

A _____
Miguel y Leticia cenan.

A _____
Javier y Berta ven la televisión.

A _____
Sofía lee una novela antes de dormirse.

A _____
Antonio se duerme.

Los animales

el animal doméstico - the pet
el animal salvaje - the wild animal
el alce - the moose
la ardilla - the squirrel
el ave - the bird
la ballena - the whale
el burro - the donkey
el caballito - the pony
el caballo - the horse
la cabra - the goat
el cabrío - the billy goat
el caimán - the alligator
el camello - the camel
el canguro - the kangaroo
el carnero - the ram
el castor - the beaver
la cebra - the zebra
el cerdo - the pig
el ciervo - the deer
el cocodrilo - the crocodile
el conejo - the rabbit
el delfín - the dolphin
el elefante - the elephant
el erizo - the porcupine
la foca - the seal
la gallina - the hen
el gallo - the rooster
el gato - the cat
el gatito - the kitten (the kittens)
el gorila - the gorilla

el hámster - the hamster
el hipopótamo - the hippopotamus
la jirafa - the giraffe
el koala - the koala
el león - the lion
el lobo - the wolf
el mapache - the raccoon
la mofeta/el zorrillo - the skunk
el mono - the monkey
la morsa - the walrus
el oso - the bear
la oveja - the ewe
el pájaro - the bird
el pato - the duck
el perrito - the puppy
el perro - the dog
el pez (los peces) - the fish -
sing. (plural)
el pingüino - the penguin
el pollito - the chick
el pollo - the chicken
el puerco - the pig
el puerco espín - the porcupine
el ratón - the mouse
el rinoceronte - the rhinoceros
la serpiente - the snake
el tigre - the tiger
la tortuga - the turtle
la vaca - the cow
el zorro - the fox

Identifica todos los animales que aparecen en la página.

Name all of the animals that are on this page.

Los animales

¿Cuál es el animal? Escribe el nombre del animal utilizando el vocabulario de abajo.
Which animal is it? Write the name of the animal by using the vocabulary below.

**un macho cabrío • un hipopótamo • una ballena • un cocodrilo • un puerco espín
un perro • una jirafa • un tigre • un carnero • un oso • un zorro • un elefante • una oveja
una vaca • un canguro • un camello • una cebra • un caballo • un alce • un león**

1. Es ...

2. Es ...

3. Es ...

4. Es ...

5. Es ...

6. Es ...

7. Es ...

8. Es ...

9. Es ...

10. Es ...

11. Es ...

12. Es ...

13. Es ...

14. Es ...

15. Es ...

16. Es ...

17. Es ...

18. Es ...

19. Es ...

20. Es ...

Los animales - Sopa de letras

Encuentra las palabras siguientes. Find the following words.

perro • camello • oveja • caballo • mofeta • mono • pez • morsa • ardilla
tortuga • gato • ratón • jirafa • oso • rinoceronte • hipopótamo • león • gorila
pato • castor • zorro • koala • tigre • cebra • vaca • cabra • ciervo • pollo
cocodrilo • pollito • serpiente • foca • elefante • delfín • canguro

```
C T O R T U G A N C A M E L L O O M C
P A B M D Z O R R O F M N H M O V L A
E A B C O E S D A P O L L I T O E Y S
R G H R O N O I I T I G R E L K J P T
R Q J L A V O L Q K O L G K J P A T O
O R L G O R I L A J C N F O I H J Z R
T O S E U F J A K A I D I P R I O N C
P M S E R P I E N T E E E Q A P R Y A
G C O C O D R I L O R L W N F O X Q N
A F N F O C A E P B V E I K A P X Z G
T O G C E B R A D C O F V O R O E S U
O L E O N T D A R C L A U A X T W Z R
V A C A H C A I B E T N S L W A A U O
C A B A L L O M D S Z T T A B M V T V
L R I N O C E R O N T E Y U M O R S A
```

El cuerpo

la **boca** - the mouth
el **brazo/los brazos** - the arm/arms
la **cabeza** - the head
el **cabello** - the hair
la **cara** - the face
la **ceja/las cejas** - the eyebrow/eyebrows
la **cintura** - the waist
el **codo/los codos** - the elbow/elbows
el **cuello** - the neck
el **cuerpo** - the body
el **dedo/los dedos** - the finger/fingers
el **dedo del pie** - the toe
los **dedos de los pies** - the toes
el **diente/los dientes** - the tooth/teeth
la **espalda** - the back
el **estómago** - the stomach
la **frente** - the forehead
la **garganta** - the throat
el **hombro/los hombros** - the shoulder/shoulders

los **labios** - the lips
la **lengua** - the tongue
la **mano/las manos** - the hand/hands
la **mejilla/las mejillas** - the cheek/cheeks
el **mentón** - the chin
la **muñeca/las muñecas** - the wrist/wrists
la **nariz** - the nose
el **ojo/los ojos** - the eye/eyes
la **oreja/las orejas** - the ear/ears
el **párpado/los párpados** - the eyelid/eyelids
el **pecho** - the chest
el **pelo** - the hair
la **pestaña/las pestañas** - the eyelash/eyelashes
la **pierna/las piernas** - the leg/legs
el **pie/los pies** - the feet
las **rodillas** - the knees
el **tobillo** - the ankle
el **torso** - the torso
el **trasero** - the behind
la **uña/las uñas** - the nail/nails

El vocabulario, expresiones y modismos

abrir bien los ojos - to open one's eyes wide open

caminar del brazo - to walk arm and arm

cruzarse de brazos - to cross one's arms

encogerse de hombros - to shrug one's shoulders

estar acostado/a boca arriba - to lie on one's back

estar acostado/a boca abajo - to lie on one's stomach

estrecharse la mano - to shake hands

fruncir el entrecejo - to frown

hacer señas con la mano - to wave

lavarse la cabeza - to wash one's hair

levantar la pierna - lift one's leg

meter la pata - to put one's foot in it

perder la cabeza - to lose one's mind

recibir a alguien con los brazos abiertos - to welcome someone with open arms

sacar la lengua - to stick one's tongue out at someone

señalar algo/a alguien con el dedo - to point at something/someone

tener dolor de cabeza - to have a headache

tener dolor de estómago - to have a stomach ache

tener dolor de pies - to have sore feet

El cuerpo y la cara

Pon en orden las letras y escribe las partes del cuerpo.
Put the letters in the correct order and write the body parts.

la pierna • la oreja • la rodilla • el brazo • el dedo del pie • el codo • el mentón • el pie
la mano • la nariz • el cuello • el hombro • la cabeza • el trasero • el estómago
el dedo • los labios • el pelo • los ojos • la frente • la boca • la muñeca
el tobillo • el ojo • la mejilla • el párpado • las pestañas • la ceja

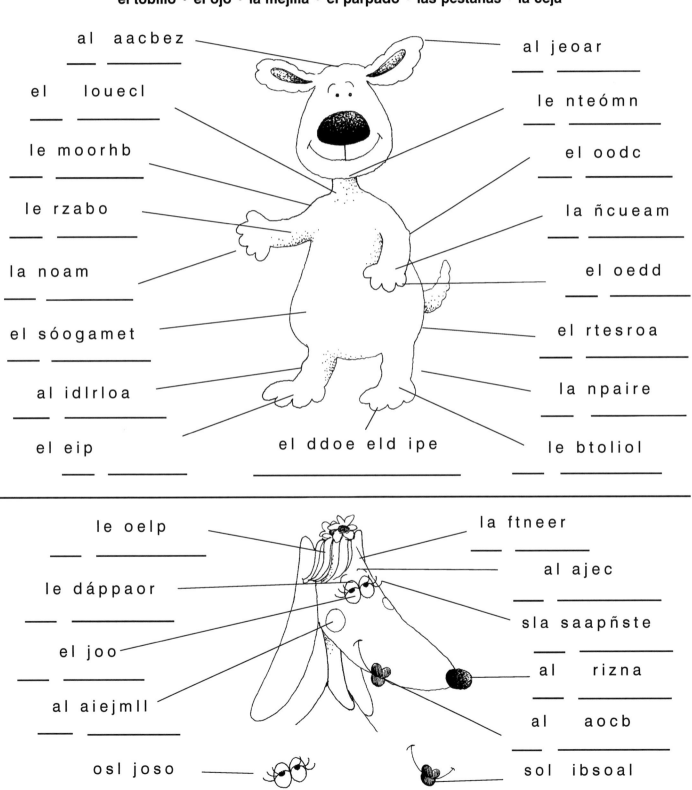

al   aacbez

el   louecl

le   moorhb

le   rzabo

la   noam

el   sóogamet

al   idlrloa

el   eip

al   jeoar

le   nteómn

el   oodc

la   ñcueam

el   oedd

el   rtesroa

la   npaire

le   btoliol

el   ddoe eld ipe

le   oelp

le   dáppaor

el   joo

al   aiejmll

osl   joso

la   ftneer

al   ajec

sla   saapñste

al   rizna

al   aocb

sol   ibsoal

21

El cuerpo - Expresiones y modismos

Escribe la parte del cuerpo que corresponde a cada dibujo y expresión o modismo.
Write the body part which goes with each drawing and expression.

el dedo • la mano • la lengua • la pierna • el cabello • los brazos • los ojos
boca arriba • boca abajo • del brazo • de cabeza • de hombros • brazos • de pies

1. Se estrechan
_____ .

2. Olivia se encoge
_____ .

3. Paulo hace señas
con _____ .

4. Mario le saca
_____ .

5. Clara levanta
_____ .

6. Olivia se lava
_____ .

7. Ramón se cruza
de _____ .

8. Raúl recibe a Sara con
_____ abiertos.

9. Caminan
_____ .

10. Ricardo está acostado
_____ .

11. Elena abre _____
_____ mucho.

12. Luis señala a Lorenzo
con _____ .

13. Sofia está acostada
_____ .

14. Paquita tiene
dolor _____ .

15. Leticia tiene
dolor _____

Los días y los meses

Los días

Lunes - Monday
Martes - Tuesday
Miércoles - Wednesday
Jueves - Thursday
Viernes - Friday
Sábado- Saturday
Domingo - Sunday

El vocabulario

el año - the year
el año que viene/el año pasado - next/last year
ayer / ayer por la tarde - yesterday / yesterday evening
celebrar - to celebrate
comer - to eat
comprar los comestibles - to buy groceries
el día - the day
el día siguiente - the next day
un disfraz/disfrazarse de - a costume/to put costumes on
hacer un asado - to barbecue
hoy - today
intercambiar regalos - to exchange gifts
ir al restaurante - to go to the restaurant
irse de vacaciones - to go on vacation
en julio / el treinta de julio - in July / the 30th of July
lavar la ropa - to do the laundry
llevar - to carry / to wear
el lunes siguiente / los lunes - next Monday/every Monday
mañana - tomorrow
el mes - the month
pasar por la agencia de viajes - to stop by the travel agency
el pastel de calabaza - pumpkin pie
el pavo - turkey
preparar el pollo - to prepare a chicken
el principio - the beginning
¿Qué día es hoy? - What date is it today?
¿Qué fecha es? - What is the date?
la semana - the week
la semana que viene / pasada - next / last week
subir las maletas - to bring up the suitcases
las tarjetas - greeting cards
trabajar en la oficina - to work at the office
el regreso a clases - back to school
visitar - to visit

Los meses

Enero - January
Febrero - February
Marzo - March
Abril - April
Mayo - May
Junio - June
Julio - July
Agosto - August
Septiembre - September
Octubre - October
Noviembre - November
Diciembre - December

Los días de fiesta

el año nuevo - the New Year (January 1st)
el cambio de hora - daylight savings (April 4)
el Cinco de Mayo - The Mexicans defeated the French army at the Battle of Puebla, May 5,1862.
el día de Acción de Gracias - Thanksgiving
el día de año nuevo - New Year's Day (January 1st)
un día de fiesta - a holiday (bank holidays)
el día de Independencia - Independence Day (U.S.)
el día de la Madre - Mother's Day (May 9)
el día de los Muertos - important holiday celebrated in Mexico which honors the dead by combining the Aztec worship of the dead (Nov. 2) with Europe's All Saints' Day (Nov. 1).
el día de Navidad - Christmas Day (December 25)
el día del Padre - Father's Day (June 20)
el día de los Reyes Magos - Twelfth Night (January 6)
el día de San Patricio - Saint Patrick's Day (March 17)
el día de San Valentín - Valentine's Day (February 14)
el día de los Santos Inocentes - April Fool's Day (April 1st)
el día de todos los Santos - All Saints Day (November 1st)
el día del trabajo - Labour Day (May 1st)
el Dieciseis de Septiembre - Mexico's Independence Day (Sept. 16)
la fiesta de Halloween - Halloween (October 31)
la fiesta de Hanukah- Hanukah (December 4)
el fin de año - New Year's Eve (December 31)
la Navidad - Christmas (December 25)
Pascua - Easter

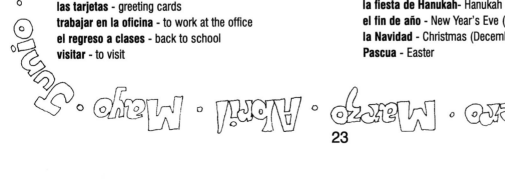

Los meses

¿En qué mes ocurren estas actividades? Escribe el mes correcto debajo de cada dibujo.
Which month are we? Write the correct month underneath each picture.

En _____, es el día de San Patricio y llevamos algo verde.

En _____, es el día de Acción de Gracias y se come pavo y pastel de calabaza.

En _____, celebramos el día de la Madre.

En _____, es el regraso a clases y nos encontramos con nuestros amigos.

En _____, es la fiesta de Halloween y nos disfrazamos.

En _____, es el cambio de la hora y a veces Pascua.

En _____, en los Estados Unidos, celebran el día de Independencia.

En _____, celebramos el año nuevo.

En _____, es el día del Padre y el principio del verano.

En _____, hay mucha gente que se va de vacaciones.

En _____, es la fiesta de Hanukah y el día de Navidad e intercambiamos regalos.

En _____, es el día de San Valentín y nos damos tarjetas que dicen "Te amo." ♥♥♥

24

Los días de la semana

¿Qué hacemos esta semana? Escribe el día correcto al principio de cada frase.

What are we doing this week? Write the correct day before each sentence.

Domingo

Martes

Domingo

Miércoles

El _____ , Elena y yo pasamos por la agencia de viajes.

El _____ , subo las maletas.

El _____ , Elena trabaja en la oficina.

El _____ , Elena y yo, vamos al restaurante.

El _____ , hacemos un asado.

El _____ , preparo un pollo para la cena.

El _____ , Elena se baja para lavar la ropa.

El _____ , vamos a la playa.

El _____ , compramos los comestibles.

El _____ , Elena y yo vamos a visitar a nuestros amigos.

Jueves

Miércoles

Martes

Viernes

Lunes

Sábado

25

La descripción física y las emociones

El / Ella es...   El / Ella está... - He / She is...

abierto / abierta - open
agresivo /agresiva - aggressive
ahorrativo / ahorrativa - thrifty
alto / alta - tall
amable - kind, nice
amistoso / amistosa - friendly
animado / animada - lively
aplicado / aplicada - industrious
atento / atenta - thoughtful, considerate
atlético / atlética - athletic
bajo / baja - short
bonito / bonita - pretty, attractive
cálido / cálida - warm, friendly
cansado / cansada - tired
contento / contenta - glad, pleased, happy
cool - cool
coqueto / coqueta - stylish, concious of appearance
culto / culta - cultivated
curioso / curiosa - curious
chic - chic
de estatura mediana - medium height
débil - weak
delgado / delgada - slender
descansado / descansada - rested
discreto / discreta - discreet, reserved
dogmático / dogmática - opinionated
educado / educada - polite
elegante - elegant
enamorado / enamorada - in love
encantador / encatadora - charming
enfadado / enfadada - angry
enojado / enojada - angry
entusiasmado / entusiasmada - enthousiastic
equilibrado / equilibrada - stable, level-headed
exigente - demanding
fabuloso / fabulosa - fabulous
feliz - happy
flaco / flaca - skinny, thin
franco / franca - frank, honest
frustrado / frustrada - frustrated
fuerte - strong
genial - great
gordo / gorda - big, fat
gracioso / graciosa - funny

guapo / guapa - handsome, beautiful
impaciente - impatient
independiente - independant
infeliz - unhappy
ingenioso / ingeniosa - witty
inteligente - intelligent
interesante - interesting
irritado / irritada - irritated
lindo / linda - cute
meticuloso / meticulosa - meticulous
mezquino / mezquina - mean, petty
modesto / modesta - modest
mono / mona - sweet
moreno / morena - dark-haired (brown-haired)
musculoso / musculosa - muscular
nervioso / nerviosa - nervous
obstinado / obstinada - stubborn
ocupado / ocupada - busy
optimista - optimist
paciente - patient
pelirrojo / pelirroja - (has) red hair
pequeño / pequeña - little
pequeño / pequeña - short
pesimista - pessimistic
práctico / práctica - practical
profundo / profunda - profound
razonable - reasonable
rechoncho / rechoncha - chubby
relajado / relajada - relaxed, laid-back
reservado / reservada - reserved
robusto / robusta - strong, sturdy
rubio/ rubia - blond
sabio / sabia - wise
sensible - sensitive
serio / seria - serious
simpático / simpática - nice, pleasant
sincero / sincera - sincere, honest
sonriente - cheerful, smiling
tímido / tímida - shy
torpe - clumsy
trabajador / trabajadora - hard working
tranquilo / tranquila - calm
travieso / traviesa - mischievous
triste - sad
valiente – brave

El tiene... He has...
Ella tiene... She has...

el cabello corto - short hair
el cabello largo - long hair
el cabello liso - straight hair
el cabello rizado - curly hair
un flequillo - bangs
las pecas - freckles
los ojos azules - blue eyes
los ojos cafés - brown eyes
los ojos verdes - green eyes

estar - to be (place or condition)

yo estoy - I am
tú estás - you are (fam. sing.)
usted está - you are (form. sing.)
él / ella está - he / she is
nosotros estamos - we are
vosotros estáis - you are (pl.)
ustedes están - you are (formal pl.)
ellos están - they are (masc. pl.)
ellas están - they are (fem. pl.)

ser - to be

yo soy - I am
tú eres - you are (fam. sing.)
usted es - you are (form. sing.)
él / ella es - he / she is
nosotros somos - we are
vosotros sois - you are (pl.)
ustedes son - you are (formal pl.)
ellos son - they are (masc. pl.)
ellas son - they are (fem. pl.)

¿Y tú? ¿Cómo te sientes hoy? And you? How are you feeling today?
Me siento _____.

La descripción - 1

¿Quién es? Aquí están algunos de nuestros amigos. Elige la descripción correcta de cada uno y escribe el número en la caja.

Who is it? Here are some of our friends. Choose the correct description of each friend and write the number in the box.

Perdone Señor....

☐ Soy flaco, de estatura mediana, y muy reservado. No veo muy bien, entonces llevo gafas.

☐ Soy muy bajo y tengo orejas grandes. La gente no me presta atención aunque soy mona.

☐ Soy delgada, elegante y muy coqueta. Me gusta ir de compras.

☐ Soy alto, robusto, fuerte y muy cool. Tengo una nariz muy grande y orejas muy pequeñas. Me gustan los deportes.

☐ Soy muy alto y delgado. Tengo un cuello muy largo.

☐ Soy baja pero también un poco gorda. Debo seguir una dieta. Soy como una bola de lana.

☐ Soy baja, rechoncha, tengo una gran sonrisa y las orejas puntiagudas.

☐ Soy bajo, rechoncho y tengo cuernos. Me gusta coleccionar pinturas.

27

La descripción - 2

Describe a Clara y a Roberto marcando las cajas apropiadas.

Describe Clara and Roberto by checking the correct boxes.

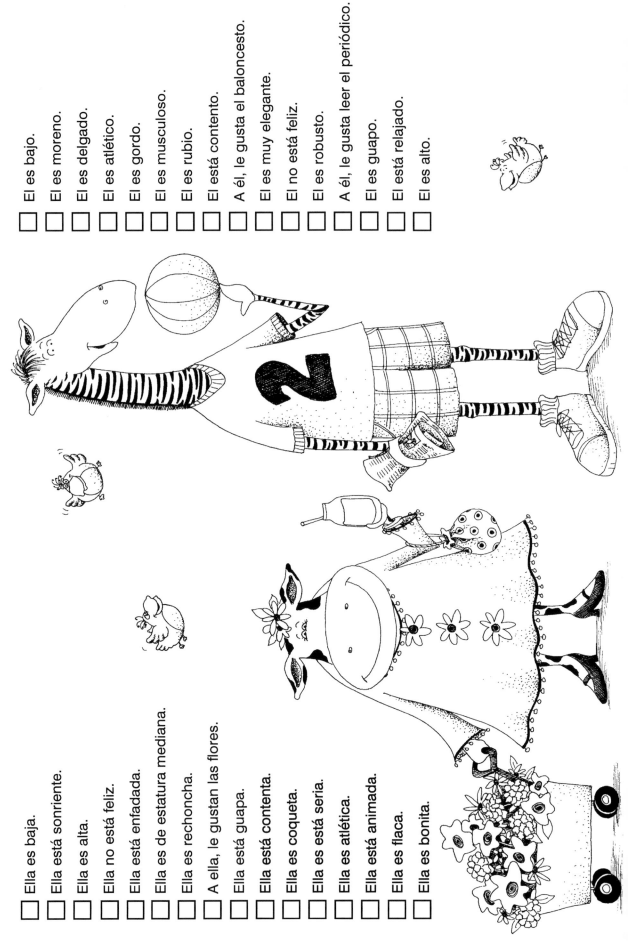

☐ El es bajo.
☐ El es moreno.
☐ El es delgado.
☐ El es atlético.
☐ El es gordo.
☐ El es musculoso.
☐ El es rubio.
☐ El está contento.
☐ A él, le gusta el baloncesto.
☐ El es muy elegante.
☐ El no está feliz.
☐ El es robusto.
☐ A él, le gusta leer el periódico.
☐ El es guapo.
☐ El está relajado.
☐ El es alto.

☐ Ella es baja.
☐ Ella está sonriente.
☐ Ella es alta.
☐ Ella no está feliz.
☐ Ella está enfadada.
☐ Ella es de estatura mediana.
☐ Ella es rechoncha.
☐ A ella, le gustan las flores.
☐ Ella está guapa.
☐ Ella está contenta.
☐ Ella es coqueta.
☐ Ella es está seria.
☐ Ella es atlética.
☐ Ella está animada.
☐ Ella es flaca.
☐ Ella es bonita.

28

Las emociones - 1

Para conocer mejor a Clara y a Tomás, encuentra los adjetivos, enciérralos en un círculo y dilos en voz alta. To know Clara and Tomás better, find all of the adjectives, circle them and say them out loud.

Clara es...

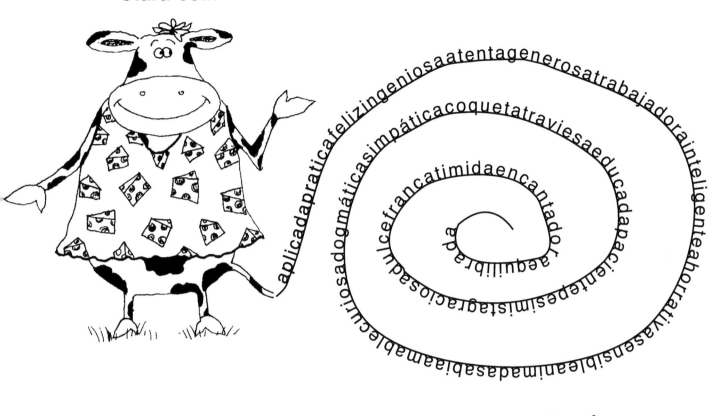

Tomás es...

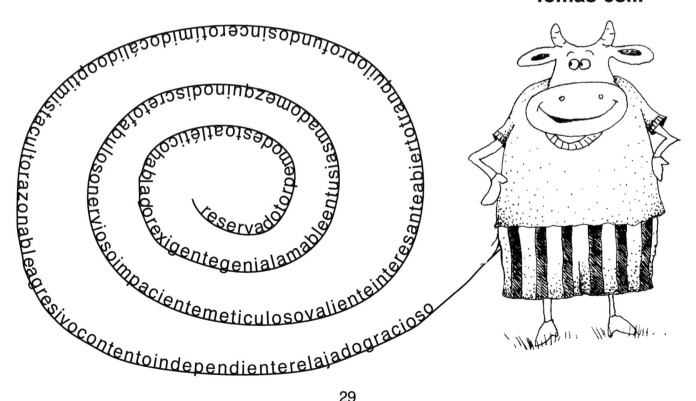

Las emociones - 2

¿Cómo se sienten? Elige la emoción que describe mejor cada dibujo y marca la caja.
How are they feeling? Choose the emotion which describes best each picture and check the box.

☐ El está enamorado.
☐ El es obstinado.

☐ Ella es aplicada.
☐ Ella es fuerte.

☐ El está feliz.
☐ El es impaciente.

☐ Ella es graciosa.
☐ Ella es paciente.

☐ El está serio.
☐ El es amistoso.

☐ Ella está relajada.
☐ Ella es amable.

☐ El está irritado.
☐ El es tímido.

☐ Ella está frustrada.
☐ Ella está triste.

☐ El está contento.
☐ El está infeliz.

☐ Ella es habladora.
☐ Ella es curiosa.

☐ El está irritado.
☐ El es torpe.

☐ Ella está triste.
☐ Ella está nerviosa.

Las emociones - 3

¿Cómo se sienten? Asocia cada frase al dibujo correcto.

How are they feeling? Draw a line between each phrase and the correct drawing.

Ella tiene miedo.

El es simpático.

Ella es animada.

El es obstinado.

El está enfadado.

El está ocupado.

Ella está contenta.

El es generoso.

El es inteligente.

Ella está infeliz.

El está tranquilo.

El es educado.

Ella es meticulosa.

El está cansado.

Los contrarios

acido/acida - acid, tart / **dulce** - soft, sweet, mild
al pie de - at the bottom (of a hill) / **en la cima de -** at the top (of a hill)
alto/alta - tall / **corto/corta** - short
bonito/bonita - beautiful / **feo/fea** - ugly
bueno/buena (buen) - good / **malo/mala (mal) -** bad
caliente - hot / **frio/fria -** cold
cerrado/cerrada - closed / **abierto/abierta** - open
corto/corta - short / **largo/larga** - long
debajo de/abajo - below / **por encima de/arriba** - above
débil - weak / **fuerte -** strong
difícil - difficult / **fácil -** easy
duro/dura - hard / **suave** - soft
estrecho/estrecha - narrow / **ancho/ancha** - wide
felíz - happy / **triste -** sad
gordo/gorda - big, fat / **delgado/delgada -** thin
grande - big / **pequeño/pequeña** - small, little
grueso/gruesa - thick / **fino/fina -** fine, thin
lento/lenta - slow / **rápido/rápida** - fast
ligero/ligera - light / **pesado/pesada** - heavy
limpio/limpia - clean / **sucio/sucia** - dirty
lleno/llena - full / **vacío/vacía** - empty
mojado/mojada - wet / **seco/seca -** dry
nuevo/nueva - new / **viejo/vieja** - old

Completa las frases siguientes.
Complete the following sentences.

Patrício está

_____

de la colina.

Olivia está

_____

de la colina.

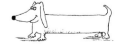

Los contrarios - 1

Escribe los contrarios de todos los adjetivos utilizando el vocabulario de abajo.

Write the opposites of all of the adjectives by using the vocabulary below.

bonito • seca • nuevo • abierta • fina • triste • pesado • difícil

Paulo está mojado.   Elena está _____

La ventana está cerrada.

La ventana está _____

Ella está ligera.   El está _____

Es fácil.

Es _____

El coche de Elena es viejo.

El coche de Paulo es _____

Su vestido es feo.

Su vestido es _____

Patrício está felíz.

Jorge está _____

Es una rebanada gruesa.

Es una rebanada _____

33

Los contrarios - 2

Escribe los contrarios de todos los adjetivos utilizando el vocabulario de abajo.

Write the opposites of all of the adjectives by using the vocabulary below.

lenta • dulce • limpia • delgado • frío • larga • duro • buena

El es corto.   Ella es _____

Ella es rápida.   Ella es _____

Yo tengo calor.   Yo tengo _____

El limón es acido.   La manzana es _____

Raúl está sucio.   Paquita está _____

La leche está mala.   La leche está _____

La almohada es suave.   El ladrillo es _____

El es gordo.   El es _____

34

Los contrarios - 3

Escribe el número de la descripción correcta en el círculo al lado de cada ilustración.
Write the number of the correct description in the circle next to each picture.

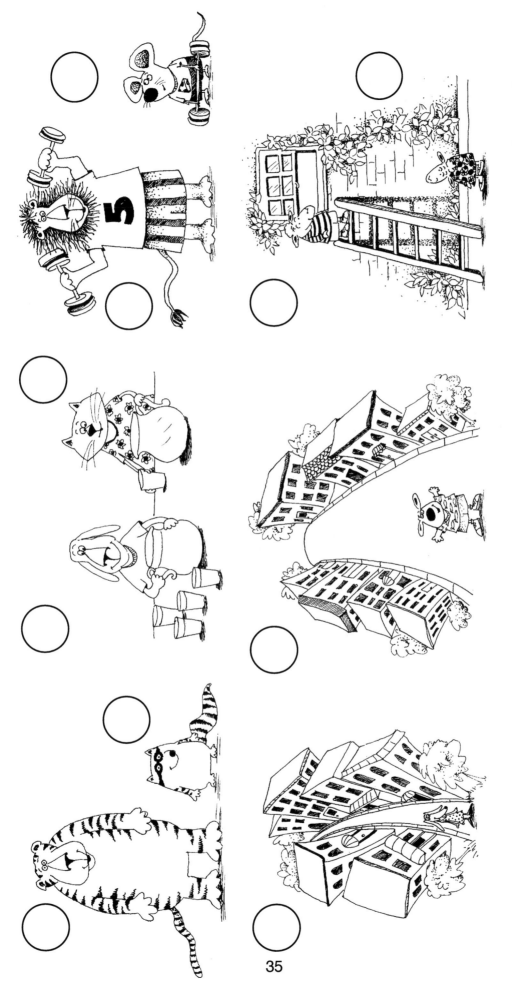

1. Felipe la oveja está arriba.
2. Rita la gata tiene una jarra vacía.
3. Paulo el perro está en la calle ancha.
4. Luis el tigre es alto.
5. Enrique el perro tiene una jarra llena.
6. Elena la perra está en la calle estrecha.
7. Lorenzo el ratón es débil.
8. Mario el mapache es pequeño.
9. Olivia la oveja está abajo.
10. Ramón el león es fuerte.

Los alimentos - 1

el **aceite de oliva** - olive oil
el **arroz** - rice
el **azúcar** - sugar
la **barra de mantequilla** - a pack of butter
la **barra de pan** - a baguette
la **caja de cereal** - a box of cereal
el **catsup** - ketchup
el **cereal / los cereales** - cereal
los **condimentos** - condiments
los **congelados** - frozen food
la **comida enlatada** - canned food
la **crema** - cream
el **croissant** - croissant
el **cuernito / la medialuna** - crescent roll
la **dona** - doughnut
la **empanada** - meat pie
la **ensalada** - green salad
el **espagueti** - spaghetti
las **especias** - seasoning
la **galleta salada** - cracker
el **harina** - flour
el **huevo tibio** - soft boiled egg
los **huevos** - eggs
la **lata de sardinas** - a can of sardines
la **mantequilla** - butter
la **margarina** - margarine
la **mermelada** - jam
la **miel** - honey
la **mostaza** - mustard
la **paleta** - lollipop
el **pan dulce** - sweet roll
el **pan (integral)** - bread (multigrain)
el **pan tostado** - toast
las **papas fritas / a la francesa** - French fries
las **papas fritas (de bolsa) (f)** - chips
un **paquete de arroz (m)** - a box of rice
la **pasta** - pasta
el **paté** - paté
la **pimienta** - pepper (spice)
la **pizza** - pizza
el **plato de vegetales crudos** - plate of raw vegetables
el **queso** - cheese
la **quiche** - quiche
la **sal** - salt
el **sandwich** - sandwich
el **sandwich de jamón y queso** - ham and cheese sandwich
la **sopa** - soup
los **tallarines** - noodles
la **tortilla francesa / el omelette** - omelette
una **tostada** - a slice of toast / Mex. - fried tortilla
los **pepinillos** - pickles
el **vinagre** - vinegar
el **yogur** - yogurt

Las frutas y los vegetales
Fruits and vegetables

el **ajo (m)** - garlic
el **albaricoque (m)** - apricot
la **alcachofa** - artichoke
el **apio** - celery
los **arándanos** - blueberries
la **berenjena** - eggplant
el **betabel** - beet
el **brócoli** - broccoli
el **calabacín** - zucchini
la **calabaza** - pumpkin
la **cebolla** - onion
las **cerezas (f)** - cherries
la **ciruela** - plum
la **coliflor** - cauliflower
los **ejotes / las judias verdes** - green beans
los **espárragos** - asparagus
las **espinacas** - spinach
las **frambuesas** - raspberries
las **fresas** - strawberries
los **frijoles** - beans
los **guisantes / chícharos** - peas
el **kiwi** - kiwi
la **lechuga** - lettuce
el **limón** - lemon
el **maíz** - corn
la **manzana** - apple
el **melocotón** - peach
el **melón** - melon
la **naranja** - orange
la **nectarina** - nectarine
la **papa / patata** - potato
la **papa / patata al horno** - baked potato
el **pepino** - cucumber
la **pera** - pear
el **perejil** - parsley
el **pimiento** - pepper
el **pimiento rojo/verde** - pepper red/green
la **piña** - pineapple
el **plátano** - banana
el **rábano** - radish
el **repollo** - cabbage
la **sandía** - watermelon
las **setas / los champiñones** - mushroom
el **tomate** - tomato
la **toronja** - grapefruit
las **uvas** - grapes
la **zanahoria** - carrot

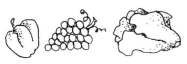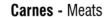

Los alimentos - 2

Carnes - Meats

el asado - roast
el bistek - steak
la carne molida - hamburger meat
la carne de puerco - pork
la carne de res - beef
el chorizo / la salchicha - sausage
la chuleta de cerdo - pork chop
la chuleta de cordero - lamb chop
la hamburguesa - a hamburger
el jamón - ham
el lomo de cerdo - the pork roast
el pavo - turkey
la pierna - leg of lamb or pork
el perro caliente - a hot dog
el pollo - chicken

Pescados - Fish

el atún - tuna
el bacalao - cod
el calamar - squid
los camarones - shrimp
el fletán - halibut
la langosta - lobster
el lenguado - sole
la lubina - sea bass
los mariscos - shellfish
el salmón - salmon
la trucha - trout

Las bebidas - Drinks

el agua (f) - water
una botella de agua mineral (sin / con gas - a bottle of mineral water (not sparkling / sparkling)
un café - a coffee
un café descafeinado - a decafeinated coffee
un chocolate caliente - a hot chocolate
una infusión de hierbas - an herbal tea
un jugo - fruit juice
un jugo de naranja - an orange juice
la leche - milk
una limonada - a lemonade
un refresco - a soft drink
una taza de chocolate - a cup of hot chocolate
un té - a tea
un vaso de agua - a glass of water

Los postres - Desserts

los caramelos - candies
el chocolate - chocolate
los dulces - candies
la fruta - fruit
la galleta - cookie
el helado - ice cream
el cono de helado - ice cream cone
el mousse de chocolate - chocolate mousse
el pastel - pastry
el pastel/la tarta de (chocolate) - (chocolate) cake
el pastel de manzana - apple tart

una bolsa de peras - a bag of pears
una caja de chocolates - a box of chocolates
un kilo de manzanas - a kilo of apples -
(approximately 2 pounds)
una lata de atún - a can of tuna
una libra de duraznos - a pound of peaches
un litro de leche - a litre of milk
5 lonchas / rebanadas gruesas / finas de jamón -
5 thick / thin slices of ham
quinientos gramos de queso
500 grams of cheese

Los verbos - Verbs

almorzar - to have lunch
Yo almuerzo - I'm having lunch.
beber - to drink
Yo bebo un jugo de naranja.
I'm drinking an orange juice.
cenar - to have dinner
Yo ceno. - I'm having dinner.
comer una manzana - to eat an apple
Yo como. - I eat.
Yo estoy comiendo una manzana.
I'm eating an apple.
desayunar - to have breakfast
Yo estoy desayunando (algo).
I'm having breakfast.
Yo desayuno algo. - I'm having something for breakfast.
ir de compras - to go shopping
Yo voy de compras. - I'm going shopping.
una merienda - 5 o'clock snack
Yo tomo una taza de chocolate.
I'll have / drink a hot chocolate.
Yo quiero chocalate.
I would like some chocolate.

Los alimentos preferidos de Elena

Aquí hay algunos alimentos preferidos de Elena. Traza una línea entre cada palabra y el alimento correcto.
Here are some of Elena's favorite foods. Draw a line between each word written below to the correct food article.

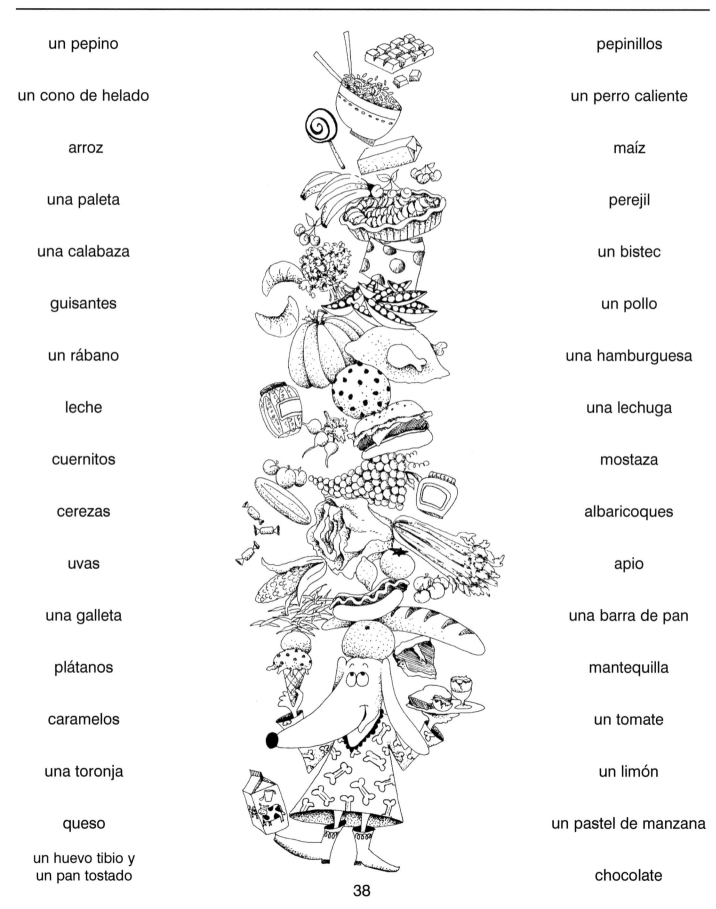

un pepino

un cono de helado

arroz

una paleta

una calabaza

guisantes

un rábano

leche

cuernitos

cerezas

uvas

una galleta

plátanos

caramelos

una toronja

queso

un huevo tibio y
un pan tostado

pepinillos

un perro caliente

maíz

perejil

un bistec

un pollo

una hamburguesa

una lechuga

mostaza

albaricoques

apio

una barra de pan

mantequilla

un tomate

un limón

un pastel de manzana

chocolate

Los alimentos preferidos de Paulo

Aquí hay algunos alimentos preferidos de Paulo. Traza una línea entre cada palabra y el alimento correcto.
Here are some of Paulo's favorite foods. Draw a line between each word written below to the correct food article.

una sandia

un sandwich

una naranja

un jamón

cebollas

un melocotón

alcachofas

pastel

espárragos

pizza

cereal

arándanos

espagueti

papas

una dona

yogures

pan

una manzana

papas fritas

un pimiento rojo

ciruelas

una pera

fresas

una piña

frambuesas

zanahorias

¿Qué quieres para el desayuno y la merienda?

¿Qué quieres para el desayuno y la merienda? Marca tu elección.
What would you like for breakfast and for afternoon snack? Check the boxes of your choice.

Para el desayuno, yo quiero...

☐ una taza de chocolate

☐ un café

☐ un té

☐ con miel

☐ con limón

☐ con azúcar

☐ con crema

☐ un jugo de naranja

☐ una naranja

☐ una toronja

☐ cereal

☐ con fresas

☐ leche

☐ pan tostado

☐ mantequilla

☐ un cuernito

☐ mermelada

Para la merienda, yo quiero...

☐ una limonada

☐ un jugo de manzana

☐ un vaso de agua

☐ una galleta

☐ un pan dulce

40

¿Qué quieres para el almuerzo?

¿Qué quieres para el almuerzo? Marca tu elección.
What would you like for lunch? Check the boxes of your choice.

2. Como plato principal, yo quiero...

☐ un sándwich

☐ una pizza

☐ un omelette

☐ una trucha

☐ espagueti

☐ una hamburguesa

☐ un perro caliente

☐ asado

3. Con el plato principal, yo quiero...

☐ tomates

☐ cebollas

☐ repollo

☐ guisantes

☐ una ensalada

☐ papas a la francesa

☐ papas fritas

☐ coliflor

1. Como bebida, yo quiero...

☐ un jugo de manzana

☐ agua mineral con gas

☐ un refresco con cubitos de hielo

4. Y con mi comida, yo quiero...

☐ pan

☐ mantequilla

☐ mostaza

☐ catsup

5. Como queso, yo quiero...

☐ el Camembert

☐ el Emmental

6. Como postre, yo quiero...

☐ pastel de manzana

☐ un yogur

☐ un pudín

☐ una manzana

☐ frambuesas

¿Qué quieres para la cena?

¿Qué quieres para la cena? Marca tu elección.
What would you like for dinner? Check the boxes of your choice. Follow the numbers in sequence.

1. Como bebida, yo quiero...

☐ agua mineral ☐ un refresco ☐ una limonada

2. Como entrada, yo quiero...

☐ una sopa ☐ alcachofa ☐ una ensalada

3. Y con mi comida, yo quiero...

☐ pan ☐ mantequilla ☐ mostaza

6. Como postre, yo quiero...

☐ pastel de chocolate ☐ flan ☐ helado ☐ un melocotón

7. Para terminar, yo quiero...

☐ un café ☐ un té ☐ con crema ☐ con azúcar

4. Como plato principal, yo quiero...

☐ salmón

☐ pasta

☐ pollo

☐ chuletas de cerdo

☐ un bistec y papas a la francesa

☐ jamón

☐ calamar

5. Con el plato principal, yo quiero...

☐ calabacín

☐ zanahorias

☐ una papa al horno

☐ espárragos

☐ betabeles

☐ espinacas

☐ brócoli

☐ ejotes

42

¿Qué hay en el refrigerador?

Paulo, Elena y Luis tienen hambre. Escribe todo que ves en el refrigerador que pueden comer. Después, marca en el espacio que corresponde. Me gusta/gustan... I like..., **Me gusta/gustan mucho...** I love..., **No me gusta/gustan...** I don't like... What is in the fridge? Paulo, Elena and Luis are hungry. Write everything that you see in the fridge that they can eat. Then, check a box for each food.

En el refrigerador, hay... _____

_____

_____

Encuesta **Marca una caja por cada alimento.**	los conos de helado	los perros calientes	los plátanos	el pan	el queso	el pastel	el cereal	las naranjas	el brócoli
Me gusta/gustan...									
Me gusta mucho...									
No me gusta...									

43

Al café • ¿Qué quieres?

Estás en un café. Di en voz alta y después, escribe lo que quieres.

Ejemplo: Yo quiero un chocolate caliente, un café, un té, etc.

You're at a café. Say out loud and then, write what you would like. Example: I would like a hot chocolate, a coffee, a tea, etc.

querer - to want

yo quiero - I want, I do want
tú quieres - you want (fam. sing.), ...
él quiere - he wants, ... **ella quiere** - she wants, ...
usted quiere - you want (formal sing.)
nosostros queremos - we want, ...
vosotros queréis - you want (pl.)
ustedes quieren - you want (formal pl.), ...
ellos/ellas quieren - they want (masc./fem. pl.), ...

Yo quiero...

_____

_____

_____

_____

_____

_____

_____

BEBIDAS

CAFÉ
TÉ
CHOCOLATE CALIENTE
JUGO DE FRUTAS
AGUA MINERAL
INFUSIÓN

PLATILLOS

SANDWICH DE JAMÓN
EMPANADA
TORTILLA FRANCESA
PIZZA
QUICHE
PLATO DE VERDURAS CRUDAS

POSTRES

PASTEL DE MANZANA
PASTEL DE CHOCOLATE
PASTEL
HELADO

El tiempo y las estaciones

Las estaciones - The seasons
¿Cuál es tu estación preferida ? What is your favorite season?
Yo prefiero... la primavera, el verano, el otoño, el invierno

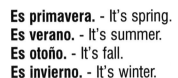

Es primavera. - It's spring.
Es verano. - It's summer.
Es otoño. - It's fall.
Es invierno. - It's winter.

en primavera - in the spring
en verano - in the summer
en otoño - in the fall
en invierno - in the winter

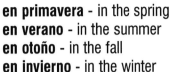

El tiempo - The Weather
¿Qué tiempo hace? - What is the weather like?

Cae una lluvia torrencial. / Está lloviendo a cántaros. - It's pouring rain.
El cielo está despejado. - It has cleared up.
El cielo se está despejando. - It's clearing up.
El sol brilla. - The sun is shining.
Es un día bárbaro. - It's a beautiful day.
Es una ola de calor. - It's a heatwave.
Está granizando. - It's hailing.
Está lloviendo. / Llueve. - It's raining. / It rains.
Está nevando. / Nieva. - It's snowing. / It snows.
Está nublado. - It's cloudy/overcast.
Está tronando. - It's thundering.
Hace 26º grados en Madrid. - It's 85º in Madrid.
Hace buen tiempo. - The weather is nice.
Hace calor. - It's hot.
Hace fresco. - It's chilly / cool.
Hace frío. - It's cold.
Hace mal tiempo. - The weather is bad.
Hace sol. - It's sunny.
Hace un calor insoportable. - The heat is unbearable.
Hace un tiempo agradable. - It's pleasant outside.
Hace un tiempo horrible. - The weather is horrible.
Hace un tiempo magnífico. - The weather is beautiful.
Hace viento. - It's windy.
Hay niebla. - It's foggy.
Hay nubes. - It's cloudy.
Hay relámpagos. - There is lightning.
Hay truenos. - There is thunder.
Hay un arco iris. - There is a rainbow.
Las hojas secas se caen. - The leaves are falling.

el charco - a puddle
el clima - the climate
la gota de lluvia - a raindrop
el granizo - the hail
la lluvia - the rain
la meteorología - the weather report
el reporte del tiempo - the weather report
la niebla - the fog
la nieve - the snow
la nube - the cloud
los relámpagos - the lightning
la tormenta - the storm
el trueno - the thunder
el viento - the wind

¿Qué tiempo hace?

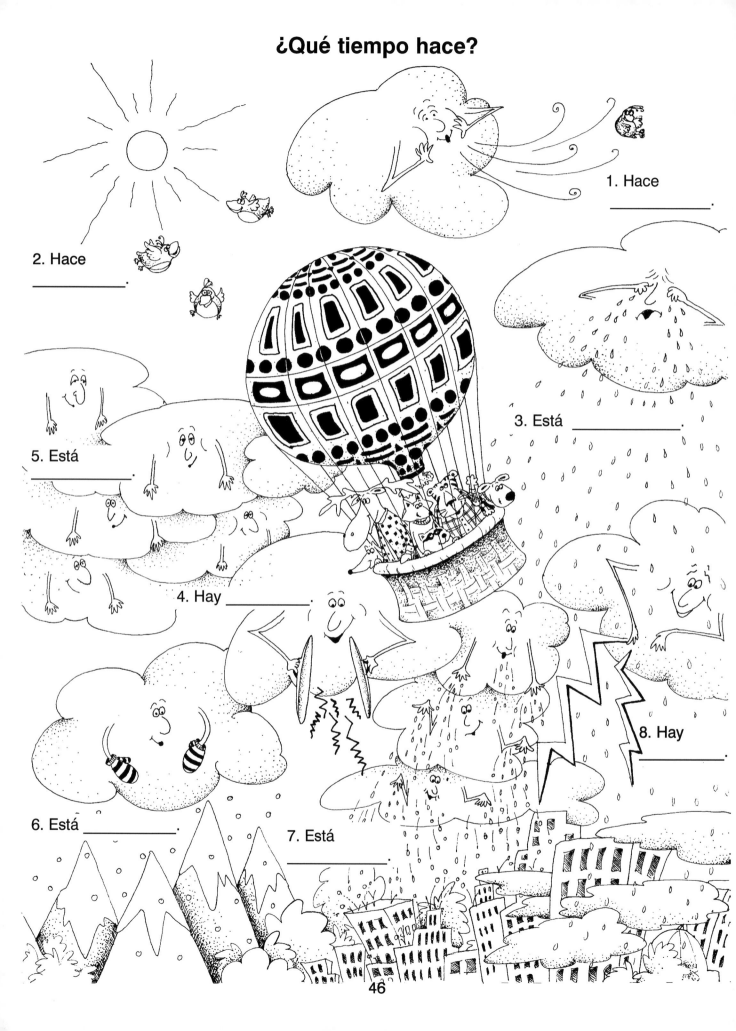

1. Hace _____.

2. Hace _____.

3. Está _____.

5. Está _____.

4. Hay _____.

8. Hay _____.

6. Está _____.

7. Está _____.

¿Qué tiempo hace? - 2

Marca las frases que describen mejor cada imagen. Check the sentences which describe best each picture.

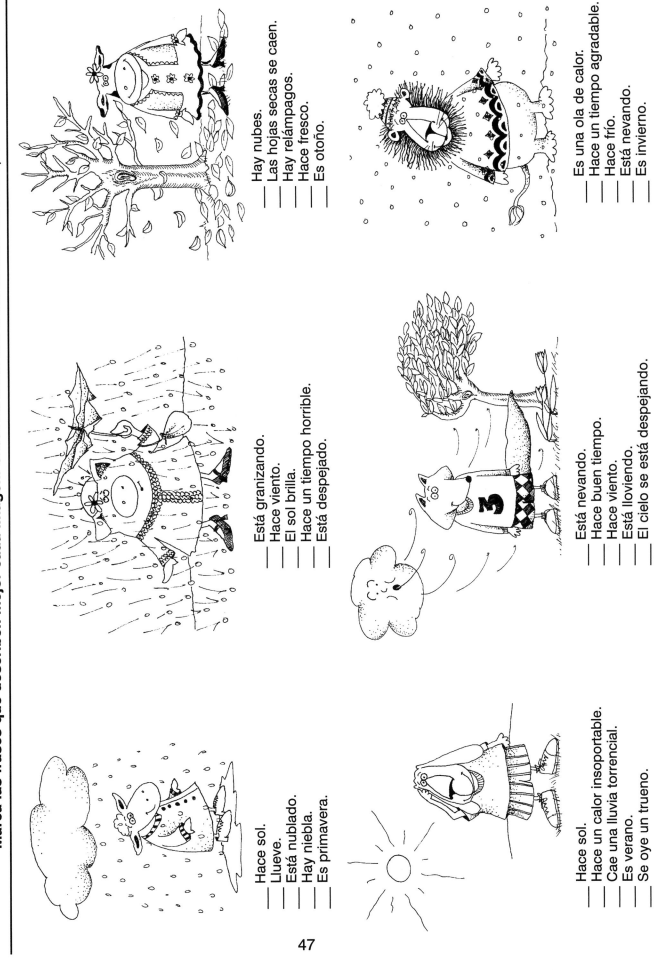

___ Hay nubes.
___ Las hojas secas se caen.
___ Hay relámpagos.
___ Hace fresco.
___ Es otoño.

___ Es una ola de calor.
___ Hace un tiempo agradable.
___ Hace frío.
___ Está nevando.
___ Es invierno.

___ Está granizando.
___ Hace viento.
___ El sol brilla.
___ Hace un tiempo horrible.
___ Está despejado.

___ Está nevando.
___ Hace buen tiempo.
___ Hace viento.
___ Está lloviendo.
___ El cielo se está despejando.

___ Hace sol.
___ Llueve.
___ Está nublado.
___ Hay niebla.
___ Es primavera.

___ Hace sol.
___ Hace un calor insoportable.
___ Cae una lluvia torrencial.
___ Es verano.
___ Se oye un trueno.

¿Qué tiempo hace? - 3

Describe cada imagen utilizando el vocabulario de abajo. Después, escribe el número de la descripción que corresponde a cada imagen. Describe each picture by using the vocabulary below. Then write the number of the correct description for each picture in the circle.

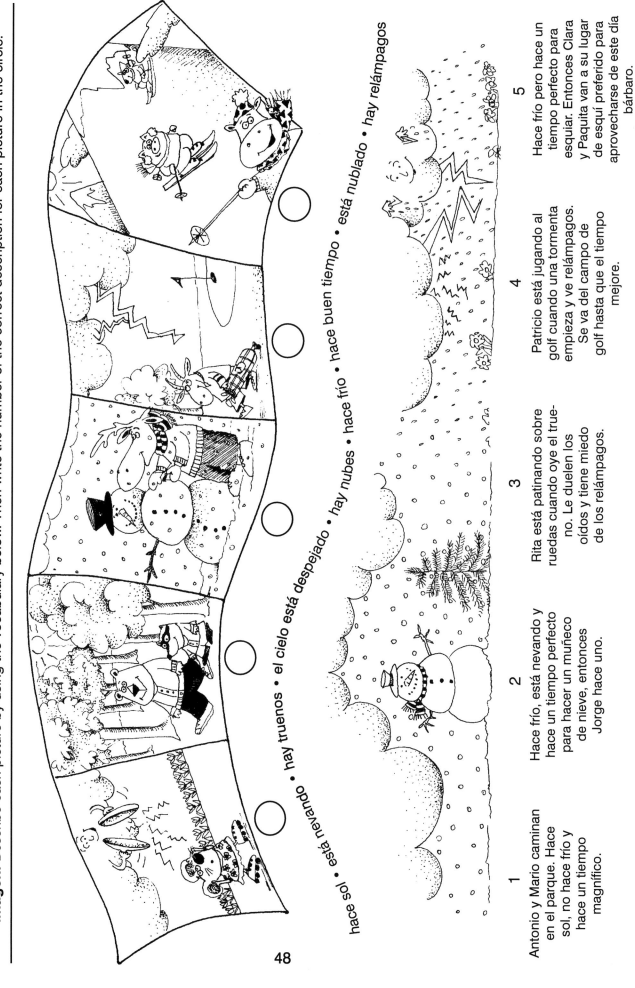

hace sol • está nevando • hay truenos • el cielo está despejado • hay nubes • hace frío • hace buen tiempo • está nublado • hay relámpagos

1

Antonio y Mario caminan en el parque. Hace sol, no hace frío y hace un tiempo magnífico.

2

Hace frío, está nevando y hace un tiempo perfecto para hacer un muñeco de nieve, entonces Jorge hace uno.

3

Rita está patinando sobre ruedas cuando oye el trueno. Le duelen los oídos y tiene miedo de los relámpagos.

4

Patricio está jugando al golf cuando una tormenta empieza y ve relámpagos. Se va del campo de golf hasta que el tiempo mejore.

5

Hace frío pero hace un tiempo perfecto para esquiar. Entonces Clara y Paquita van a su lugar de esquí preferido para aprovecharse de este día bárbaro.

48

¿Qué tiempo hace? - 4

Describe cada imagen utilizando el vocabulario de abajo. Después, escribe el número de la descripción que corresponde a cada imagen. Describe each picture by using the vocabulary below. Then write the number of the correct description for each picture in the circle.

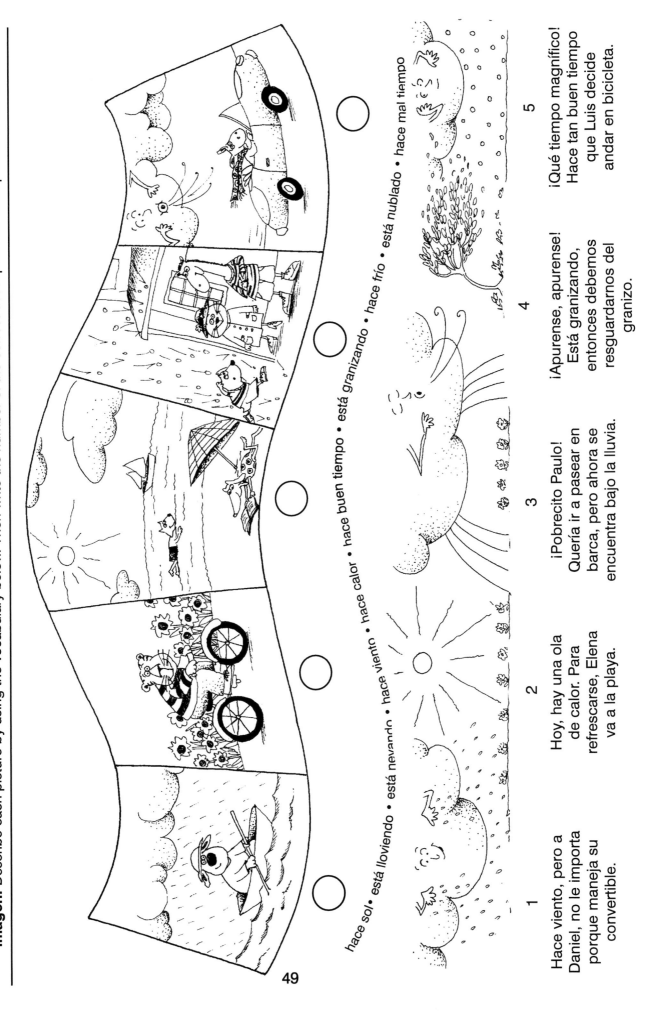

hace sol • está lloviendo • está nevando • hace viento • hace calor • hace buen tiempo • está granizando • hace frío • está nublado • hace mal tiempo

1

Hace viento, pero a Daniel, no le importa porque maneja su convertible.

2

Hoy, hay una ola de calor. Para refrescarse, Elena va a la playa.

3

¡Pobrecito Paulo! Quería ir a pasear en barca, pero ahora se encuentra bajo la lluvia.

4

¡Apurense, apurense! Está granizando, entonces debemos resguardarnos del granizo.

5

¡Qué tiempo magnífico! Hace tan buen tiempo que Luis decide andar en bicicleta.

49

La meteorología para la semana

¿Qué tiempo hace esta semana? Escribe el tiempo que hace cada día de la semana utilizando el vocabulario siguiente.
What is the weather this week? Write what the weather is for each day by using the following vocabulary.

Hay niebla. • Hace sol. • Está nevando. • Llueve. • Hace viento. • Hay truenos y relámpagos. • Está granizando.

Viernes _____

Sábado _____

Domingo _____

¿Qué tiempo hace en tu barrio? _____

Lunes _____

Martes _____

Miércoles _____

Jueves _____

El clima

¿Qué tiempo hace sobre España? Anuncia el clima utilizando el vocabulario de abajo.
Ejemplo: Sobre Zaragoza, hace 23° (grados) y está granizando. What is the weather in Spain? Give the weather by using the vocabulary below. Example: In Zaragoza, it's 23° (72° Fahrenheit) and it's hailing.

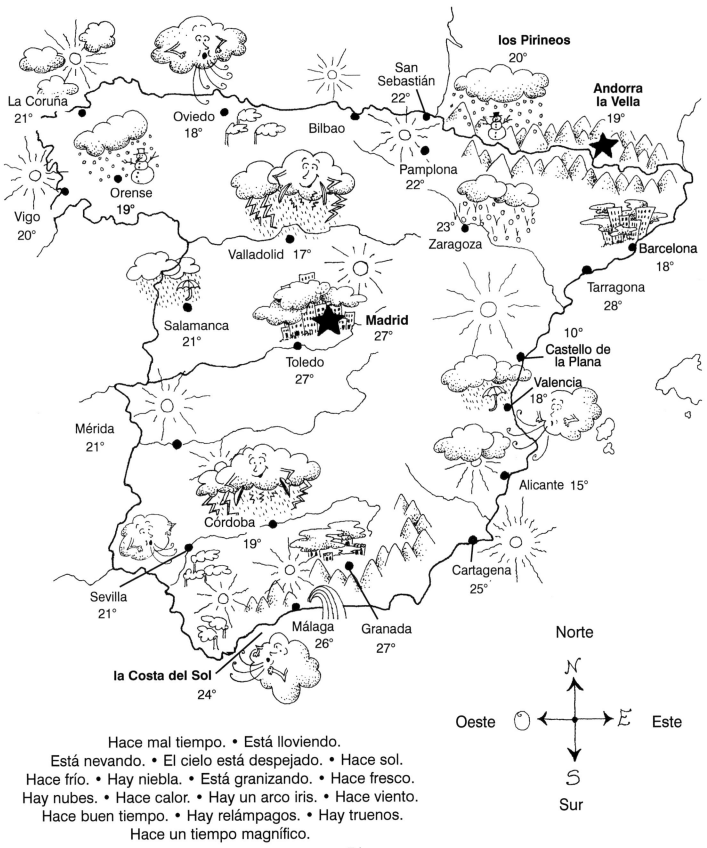

La Coruña 21°
Oviedo 18°
Bilbao
San Sebastián 22°
los Pirineos 20°
Andorra la Vella 19°
Orense 19°
Vigo 20°
Pamplona 22°
Valladolid 17°
Zaragoza 23°
Barcelona 18°
Tarragona 28°
Salamanca 21°
Madrid 27°
Castello de la Plana 10°
Valencia 18°
Toledo 27°
Mérida 21°
Alicante 15°
Córdoba 19°
Cartagena 25°
Sevilla 21°
Málaga 26°
Granada 27°
la Costa del Sol 24°

Norte
N
Oeste ← → E Este
S
Sur

Hace mal tiempo. • Está lloviendo.
Está nevando. • El cielo está despejado. • Hace sol.
Hace frío. • Hay niebla. • Está granizando. • Hace fresco.
Hay nubes. • Hace calor. • Hay un arco iris. • Hace viento.
Hace buen tiempo. • Hay relámpagos. • Hay truenos.
Hace un tiempo magnífico.

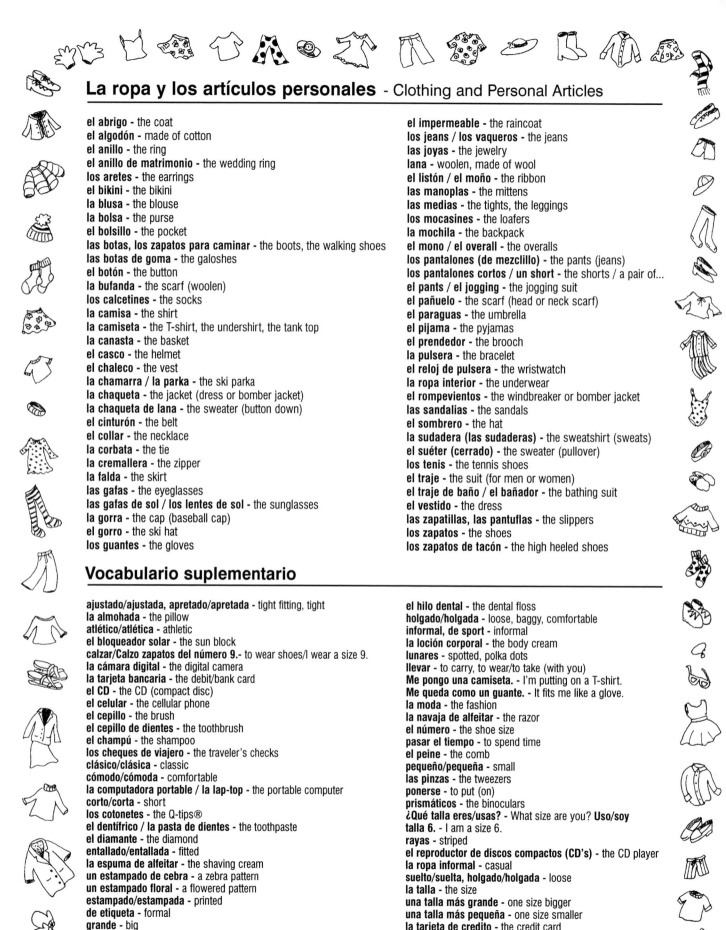

La ropa y los artículos personales - Clothing and Personal Articles

el abrigo - the coat
el algodón - made of cotton
el anillo - the ring
el anillo de matrimonio - the wedding ring
los aretes - the earrings
el bikini - the bikini
la blusa - the blouse
la bolsa - the purse
el bolsillo - the pocket
las botas, los zapatos para caminar - the boots, the walking shoes
las botas de goma - the galoshes
el botón - the button
la bufanda - the scarf (woolen)
los calcetines - the socks
la camisa - the shirt
la camiseta - the T-shirt, the undershirt, the tank top
la canasta - the basket
el casco - the helmet
el chaleco - the vest
la chamarra / la parka - the ski parka
la chaqueta - the jacket (dress or bomber jacket)
la chaqueta de lana - the sweater (button down)
el cinturón - the belt
el collar - the necklace
la corbata - the tie
la cremallera - the zipper
la falda - the skirt
las gafas - the eyeglasses
las gafas de sol / los lentes de sol - the sunglasses
la gorra - the cap (baseball cap)
el gorro - the ski hat
los guantes - the gloves

el impermeable - the raincoat
los jeans / los vaqueros - the jeans
las joyas - the jewelry
lana - woolen, made of wool
el listón / el moño - the ribbon
las manoplas - the mittens
las medias - the tights, the leggings
los mocasines - the loafers
la mochila - the backpack
el mono / el overall - the overalls
los pantalones (de mezclillo) - the pants (jeans)
los pantalones cortos / un short - the shorts / a pair of...
el pants / el jogging - the jogging suit
el pañuelo - the scarf (head or neck scarf)
el paraguas - the umbrella
el pijama - the pyjamas
el prendedor - the brooch
la pulsera - the bracelet
el reloj de pulsera - the wristwatch
la ropa interior - the underwear
el rompevientos - the windbreaker or bomber jacket
las sandalias - the sandals
el sombrero - the hat
la sudadera (las sudaderas) - the sweatshirt (sweats)
el suéter (cerrado) - the sweater (pullover)
los tenis - the tennis shoes
el traje - the suit (for men or women)
el traje de baño / el bañador - the bathing suit
el vestido - the dress
las zapatillas, las pantuflas - the slippers
los zapatos - the shoes
los zapatos de tacón - the high heeled shoes

Vocabulario suplementario

ajustado/ajustada, apretado/apretada - tight fitting, tight
la almohada - the pillow
atlético/atlética - athletic
el bloqueador solar - the sun block
calzar/Calzo zapatos del número 9. - to wear shoes/I wear a size 9.
la cámara digital - the digital camera
la tarjeta bancaria - the debit/bank card
el CD - the CD (compact disc)
el celular - the cellular phone
el cepillo - the brush
el cepillo de dientes - the toothbrush
el champú - the shampoo
los cheques de viajero - the traveler's checks
clásico/clásica - classic
cómodo/cómoda - comfortable
la computadora portable / la lap-top - the portable computer
corto/corta - short
los cotonetes - the Q-tips®
el dentífrico / la pasta de dientes - the toothpaste
el diamante - the diamond
entallado/entallada - fitted
la espuma de afeitar - the shaving cream
un estampado de cebra - a zebra pattern
un estampado floral - a flowered pattern
estampado/estampada - printed
de etiqueta - formal
grande - big
los guantes - the gloves

el hilo dental - the dental floss
holgado/holgada - loose, baggy, comfortable
informal, de sport - informal
la loción corporal - the body cream
lunares - spotted, polka dots
llevar - to carry, to wear/to take (with you)
Me pongo una camiseta. - I'm putting on a T-shirt.
Me queda como un guante. - It fits me like a glove.
la moda - the fashion
la navaja de afeitar - the razor
el número - the shoe size
pasar el tiempo - to spend time
el peine - the comb
pequeño/pequeña - small
las pinzas - the tweezers
ponerse - to put (on)
prismáticos - the binoculars
¿Qué talla eres/usas? - What size are you? **Uso/soy talla 6.** - I am a size 6.
rayas - striped
el reproductor de discos compactos (CD's) - the CD player
la ropa informal - casual
suelto/suelta, holgado/holgada - loose
la talla - the size
una talla más grande - one size bigger
una talla más pequeña - one size smaller
la tarjeta de credito - the credit card
visitar - to visit

La ropa y los artículos de viaje

Nos tomamos unas vacaciones y hacemos las maletas. Escribe el número correcto al lado de cada artículo. ¿Qué debríamos llevar?
We're leaving on vacation and we're packing. Write the correct number next to each article. What should we bring?

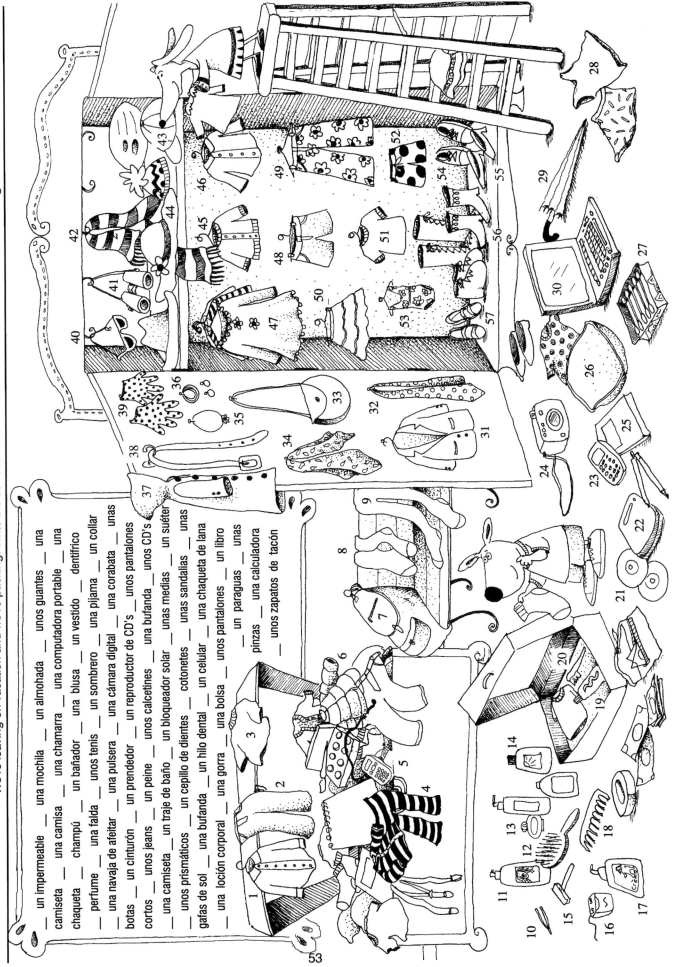

un impermeable __	una mochila __	un almohada __
unos guantes __	una camiseta __	una camisa __
una chamarra __	una computadora portable __	chaqueta __
champú __	un bañador __	una blusa __
un vestido __	dentífrico __	perfume __
una falda __	unos tenis __	un sombrero __
una pijama __	un collar __	una navaja de afeitar __
una pulsera __	una cámara digital __	una corabata __
unas __	botas __	un cinturón __
un prendedor __	un reproductor de CD's __	unos pantalones __
cortos __	unos jeans __	un peine __
unos calcetines __	una bufanda __	unos CD's __
una camiseta __	un traje de baño __	un bloqueador solar __
unas medias __	un suéter __	unos prismáticos __
un cepillo de dientes __	cotonetes __	unas sandalias __
unas __	gafas de sol __	una bufanda __
un hilo dental __	un celular __	una chaqueta de lana __
una loción corporal __	una gorra __	una bolsa __
unos pantalones __	un libro __	__ un paraguas __
unas __	pinzas __	una calculadora __
unos zapatos de tacón __		

53

¿Qué vas a llevar?

Te vas de vacaciones. ¿Qué vas a llevar? Identifica todos los artículos. Después, escribe todo que vas a llevar.

You're leaving on vacation. What are you going to bring? Identify all of the articles. Then, write down everything that you are going to bring.

1. una camisa • 2. un gorro • 3. una pulsera • 4. un collar • 5. una cámara digital • 6. un casco • 7. unos guantes • 8. una bufanda
9. una chaqueta de lana • 10. una falda • 11. un vestido • 12. unas sandalias • 13. unos jeans • 14. un short • 15. un impermeable • 16. una chamarra • 17. una camiseta
18. un reloj de pulso • 19. unas botas • 20. una chaqueta • 21. una bolsa • 22. unas gafas de sol • 23. una camiseta • 24. un pañuelo • 25. una gorra • 26. unos aretes
27. un anillo • 28. un sombrero • 29. un traje de baño • 30. un iPod® • 31. unos prismáticos • 32. un libro • 33. unos pantalones • 34. una camiseta

Voy a llevarme ...

54

¿Quién soy?

¿Quién soy? Escribe el número correcto al lado de cada descripción. Who am I ? Write the correct number for each description.

Llevo….

____ un suéter, una falda floreada, guantes, un gorro, botas y una bufanda. / ____
un rompevientos, un suéter cerrado y tenis. / ____ un vestido, un collar, una bolsa, zapatos de
tacón y tengo una flor en la boca. / ____ unos pantalones a rayas, un suéter, zapatos y tengo un ramo
de flores para mi madre. / ____ una sudadera, unas gafas de sol y escucho música en mi iPod®. / ____ una
pijama y zapatillas. / ____ una camiseta, unos jeans y zapatos. / ____ un abrigo, una monchila, botas, guantes y un
sombrero. / ____ una blusa, medias con un estampado de cebra y botas. / ____ una corbata, una camisa, pantalones
cortos, tenis y también mi celular. / ____ un bikini y una toalla. / ____ pantalones cortos, una sudadera, sandalias
y una canasta llenada de verduras. / ____ un traje, una corbata, una camisa y zapatos. / ____ una chaqueta,
un chaleco, una camisa, pantalones y zapatos. / ____ una chamarra, una gorra, pantalones, mocasines,
y leo mi novela. / ____ un anillo con un diamante, un vestido a lunares,
pulseras, y zapatos de tacón.

La ropa y el tiempo

¿Qué se necesitan poner? Marca el cuadro apropiado para cada frase. Después, rodea la imagen correcta. What do we have to wear ? Check the correct box according to each sentence. Then, circle the correct drawing.

1. Hace frío, entonces me pongo ...

   ☐ una chamarra   ☐ un vestido   ☐ sandalias

2. Hace calor, entonces Paulo se pone ...

   ☐ un gorro   ☐ un suéter cerrado   ☐ un traje de baño

3. Hace fresco, entonces nos ponemos ...

   ☐ una chaqueta de lana   ☐ una camiseta   ☐ gafas de sol

4. Llueve, entonces me pongo ...

   ☐ una bolsa   ☐ un impermeable   ☐ un cinturón

5. Hace buen tiempo, entonces Elena y Paulo se ponen ...

   ☐ abrigos   ☐ camisetas   ☐ calcetines

6. Hace fresco y viento, entonces Mario se pone ...

   ☐ un rompevientos   ☐ botas   ☐ guantes

56

¿Qué talla eres? El probador

Es difícil encontrar la talla correcta. Para ver lo que les conviene y que te conviene, completa las frases siguientes utilizando el vocabulario de abajo. What is your size? The dressing room. It's hard to find the right size. In order to find out what looks good, read the text and complete the following sentences by using the vocabulary below.

pequeño • apretado • grande • corto

Paulo	Elena	Luis	Olivia

 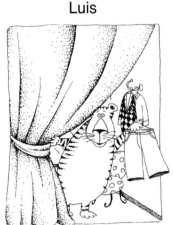 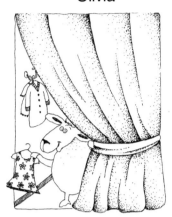

Es demasiado_____.
¿Puedo probarme unos
pantalones más largos?

Es demasiado_____.
¿Tiene una talla más
pequeña?

Es demasiado_____.
No puedo cerrar la
cremallera.

Es demasiado_____.
¿Hay una talla
más grande?

Contesta a las preguntas siguientes. Answer the following questions.
¿Qué talla usas? What is your size? **¿Qué número calzas?** What is your shoe size?
Uso talla 7. I'm a size 7 (American).
Calzo del número 8. I'm a size (shoes) 8 (American).

Sección para mujeres
Women's Department

¿Qué talla usa Elena? Elena usa talla 6. ¿Qué talla usas? Uso talla _____.

Sección para hombres
Men's Department

¿Qué talla es Paulo? Paulo es talla 10. ¿Qué talla eres? Soy talla _____.

La sección de zapatos
Shoe Department

¿Qué número calza Paulo? Paulo calza del número 9.

¿Qué número calza Elena? Elena calza del número 7.

¿Qué número calzas? Calzo del número _____.

El probador - Me queda bien.

Contesta a las preguntas siguientes. ¿Le queda bien a Paquita el vestido?
Answer the following questions. Does Paquita's dress look good on her?
Le queda bien. It looks good on him/her. **No le queda bien.** It doesn't look good on him/her.

¡Es perfecto! Es la talla correcta.
No es demasiado largo, corto,
pequeño, grande o ajustado.
Me queda como un guante.

¿Y tú?
¿Que tipo de ropa te gusta?

Te gusta la ropa ... ?	**Te gusta la moda ... ?**
Me gusta la ropa ...	**Me gusta la moda ...**
___ holgada	___ clasica
___ cómoda	___ de etiqueta
___ ajustada	___ informal
___ entallada	___ atlética

¿Qué le queda bien? ¿Qué no le queda bien?

Marca "sí" o "no" al lado de cada frase según las imágenes.
Ejemplo: El suéter de Leticia le queda. La chaqueta de Antonio no le queda.
What looks good on him/her? What doesn't look good on him/her?
Check "yes" or "no" next to sentence according to the pictures.

Sí   No

1. ___ ___ Los pantalones de Antonio son demasiado largos.

2. ___ ___ La camisa de Antonio es demasiado pequeña.

3. ___ ___ La bufanda de Leticia es demasiado corta.

4. ___ ___ El sombrero de Antonio es demasiado grande.

5. ___ ___ El cinturón de Leticia es apretado.

6. ___ ___ La falda de Leticia es corta.

7. ___ ___ El suéter de Leticia es ajustado.

8. ___ ___ El sombrero de Leticia es demasiado grande.

9. ___ ___ La chaqueta de Antonio es demasiado pequeña.

¿Qué nos vamos a poner?

Paulo y Elena van a hacer un viaje por todo el mundo. Deben pensar en todos los climas que van a encontrar antes de hacer las maletas. Completa las frases siguientes utilizando el vocabulario de abajo. Paulo and Elena are going on a trip around the world. They have to think of all the different climates that they are going to experience before packing their bags. Complete the following sentences by using the vocabulary below.

**un sombrero • un suéter • un rompevientos • sandalias • una camiseta
unos pantalones • gafas de sol • un vestido • unos pantalones cortos**

En América del Sur, va a hacer calor y es húmedo, entonces me voy a poner _____ _____ y Elena se va a poner _____.

Si hace viento en Australia, nos vamos a poner _____.
Si hace sol, nos vamos a poner _____ _____.

Cuando lleguemos a China, quizás va a hacer fresco, entonces nos vamos a poner _____ _____.

En Egipto, hay olas de calor y vamos a estar en pleno sol, entonces nos vamos a poner _____ _____.

59

¿Qué necesitamos llevar?

**Paulo y Elena continúan preguntándose lo que deben llevar para el viaje.
Completa las frases siguientes utilizando el vocabulario de abajo.**
Paulo y Elena are still making up their minds as to what they have to take on the trip.
Complete the following sentences by using the vocabulary below.

**una chamarra • botas de goma • un impermeable • una bufanda
botas • guantes • un paraguas • gafas de sol
un gorro • un abrigo • un suéter cerrado • un traje de baño**

Olivia dice que está lloviendo en París y
que necesitamos llevar _____

_____

_____ .

Vamos a visitar Canadá en invierno
entonces necesitamos llevar _____

_____

_____ .

Ya que vamos a pasar mucho tiempo en
la playa, necesitamos llevar _____

_____

_____ .

Vamos a estar en Nueva York en otoño,
entonces necesitamos llevar _____

_____

_____ .

60

Los colores

el color - the color
claro - light
oscuro / oscura - dark
vivo / viva - bright
blanco / blanca - white
café - brown
azul - blue
azul marino - navy blue
marrón - brown
gris - grey
amarillo / amarilla - yellow
negro / negra - black
anaranjado / anaranjada - orange
rosado / rosada - pink
rojo / roja - red
verde - green
morado / morada - purple
violeta - light purple

Un tejido es...

sólido, liso
(solid)

impreso
(printed)

Los impresos:

a rayas striped	**tela escocesa** plaid	**de puntos, boleado** polka-dots	**floreado, de flores** flowered	**a cuadros** checked

Un vestido azul marino. - A dark blue dress.
Unas calcetines verde claro. - Light green socks.
Unos pantalones rojo vivo. - A bright red pair of pants.

Unas pijamas de flores. - Flowered pyjamas.
Una camiseta a rayas. - A striped T-shirt.
Una falda escocesa. - A plaid skirt.

Los colores - 1

Colorea las palabras y los dibujos con los colores indicados.
Color the words and the pictures with the color indicated.

amarillo

blanco

verde

anaranjado

rojo   negro

azul

morado

marrón

rosado   gris

62

Los colores - 2

Colorea cada dibujo con los colores indicados. Color each picture with the colors indicated.

Un ratón rosado que lleva una falda marrón y que tiene floras amarillas.

Un elefante morado que lleva un sombrero verde con una flor anaranjada.

Un puerco gris que lleva botas rosadas, pulseras verdes y una flor roja.

Un zorro azul claro que lleva guantes negros, una corbata rosada, y un cinturón amarillo.

Un perro anaranjado que lleva una bufanda blanca y calcetines azul oscuro.

Una oveja amarilla que lleva zapatos de tacón violetas y un moño rosado.

Completa las frases siguientes utilizando el vocabulario de abajo.
Complete the following sentences by using the vocabulary below.

a cuadros • de flores • a rayas • escocesa • de puntos

Patricio lleva unos pantalones _____ y una cami-sa _____.

Olivia lleva un vestido _____ _____ y un pañuelo _____.

Coco lleva un vestido _____.

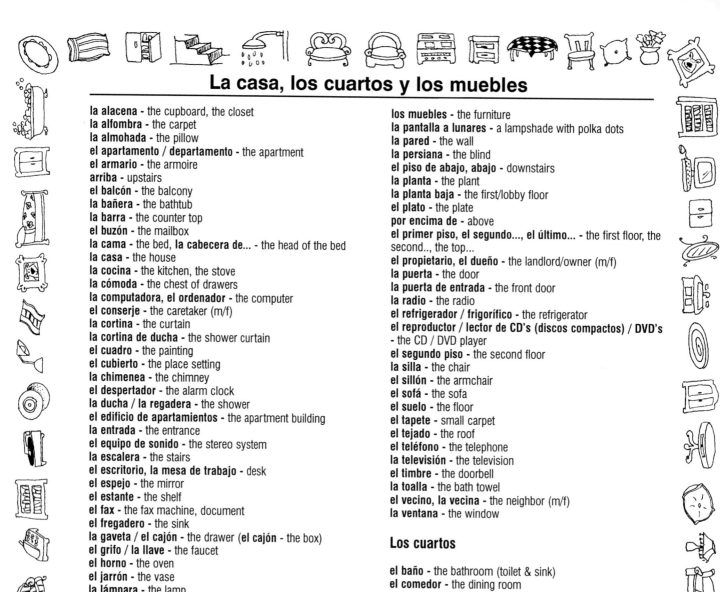

La casa, los cuartos y los muebles

la alacena - the cupboard, the closet
la alfombra - the carpet
la almohada - the pillow
el apartamento / departamento - the apartment
el armario - the armoire
arriba - upstairs
el balcón - the balcony
la bañera - the bathtub
la barra - the counter top
el buzón - the mailbox
la cama - the bed, **la cabecera de...** - the head of the bed
la casa - the house
la cocina - the kitchen, the stove
la cómoda - the chest of drawers
la computadora, el ordenador - the computer
el conserje - the caretaker (m/f)
la cortina - the curtain
la cortina de ducha - the shower curtain
el cuadro - the painting
el cubierto - the place setting
la chimenea - the chimney
el despertador - the alarm clock
la ducha / la regadera - the shower
el edificio de apartamientos - the apartment building
la entrada - the entrance
el equipo de sonido - the stereo system
la escalera - the stairs
el escritorio, la mesa de trabajo - desk
el espejo - the mirror
el estante - the shelf
el fax - the fax machine, document
el fregadero - the sink
la gaveta / el cajón - the drawer (**el cajón** - the box)
el grifo / la llave - the faucet
el horno - the oven
el jarrón - the vase
la lámpara - the lamp
la lámpara de pie - the lamp (stand up)
el lavabo - the bathroom sink
el lavavajillas - the washing machine
el librero - the bookshelves
la luz - the light
la mesa - the table
la mesita baja / la mesa de centro - the coffee table
la mesita de noche - the bedside table
el microondas - the microwave

los muebles - the furniture
la pantalla a lunares - a lampshade with polka dots
la pared - the wall
la persiana - the blind
el piso de abajo, abajo - downstairs
la planta - the plant
la planta baja - the first/lobby floor
el plato - the plate
por encima de - above
el primer piso, el segundo..., el último... - the first floor, the second.., the top...
el propietario, el dueño - the landlord/owner (m/f)
la puerta - the door
la puerta de entrada - the front door
la radio - the radio
el refrigerador / frigorífico - the refrigerator
el reproductor / lector de CD's (discos compactos) / DVD's - the CD / DVD player
el segundo piso - the second floor
la silla - the chair
el sillón - the armchair
el sofá - the sofa
el suelo - the floor
el tapete - small carpet
el tejado - the roof
el teléfono - the telephone
la televisión - the television
el timbre - the doorbell
la toalla - the bath towel
el vecino, la vecina - the neighbor (m/f)
la ventana - the window

Los cuartos

el baño - the bathroom (toilet & sink)
el comedor - the dining room
el cuarto - the room
el cuarto de baño - the bathroom (large)
el desván - the attic
la entrada - the entrance
el garage / la cochera - the garage
la habitación - the bedroom, room
la oficina - the office
la sala de estar - the den
el salón - the living room
el sótano - the basement, the cellar
la terraza, la azotea (roof) - the patio, terrace

Verbos

acabar de comprar - to have just bought
almorzar - to have lunch
bajar - to lower, to go down(stairs)
cepillarse los dientes - to brush one's teeth
cerrar - to close
charlar - to chat
encantar, Me encanta... - to love, to adore, I love...
escuchar - to listen
estar haciendo algo - in the process of doing something
estar sentado/a - to be seated
guardar - to keep
hacer muecas - to do, to make (faces)
iluminar - to light up
mojar - to get wet

mirar, •ver la televisión - to look at, •to watch T.V.
navegar por Internet - to surf on the Internet
peinarse - to fix one's hair
poder - to be able to
poner - to put, to place
estar comiendo - having something to eat
salir - to go out, to take out
sentarse - to sit down
subir de nuevo - to bring / come back up
tocar el timbre - to ring at the door
tomar - to take
trabajar - to work
usar, utilizar - to use
ver - to see

El castillo

Nuestro castillo en el campo tiene muchos cuartos. Escribe en que cuarto se encuentra cada uno de nuestros amigos. Our castle in the country has a lot of rooms. Write in which room each one of our friends is.

1. Olivia y Leticia almuerzan en _____

2. Lorenzo está en la cama en _____

3. Camilia y Mario están charlando en _____

4. Paulo ve la televisión en _____

5. Patricio se ducha en _____

6. Luis mira por la ventana en _____

7. Gilberto se cepilla los dientes en _____

8. Ramón trabaja en _____

9. Elena está comiendo en _____

10. Rita está sentada en _____

Gilberto

Ramón

Elena

Luis

Rita

Olivia y Leticia

Patricio

Paulo

Lorenzo

Camilia y Mario

La casa - Sopa de letras

Encuentra las palabras del vocabulario de la casa.

Find the words from the house vocabulary.

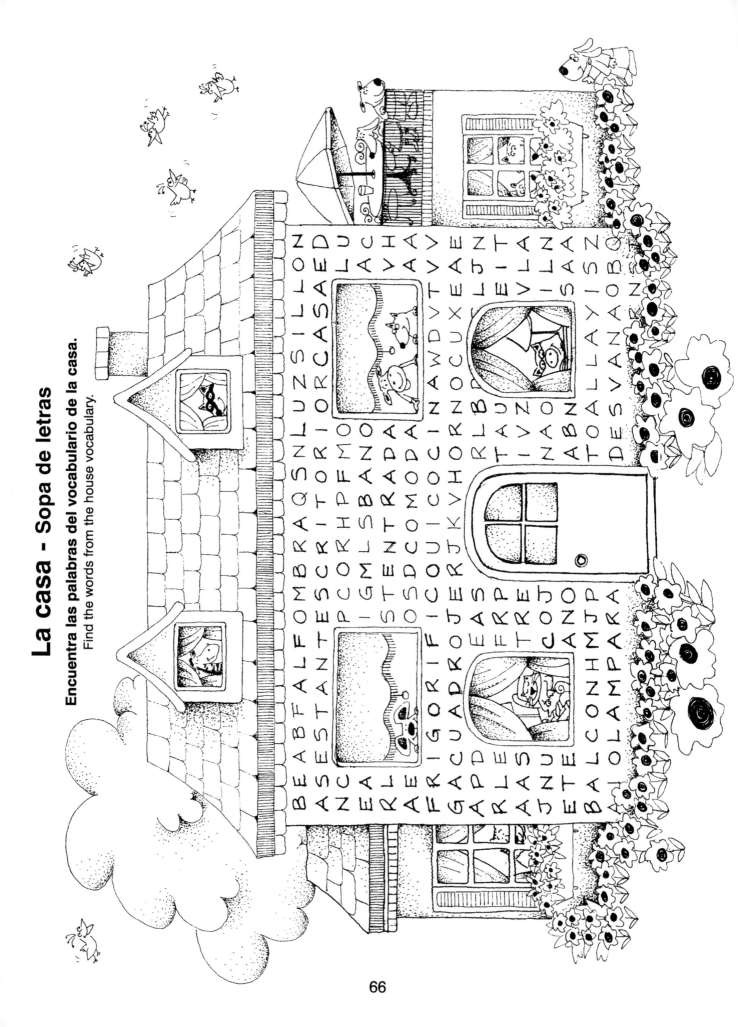

```
B E A B F A L F O M B R A Q S N L U Z S I L L O N
A E S T A N T E S C R I T O R I O R C A S A E D
N C     P C O R H P F M O         L U
E A     I G M L S B A N O         A C
R L     S T E N T R A D A         V H
A E     O S D C O M O D A         A A
F R I G O R I F I C O U I C O C I N A W D V T V
G A C U A D R O J E R J K V H O R N O C U X E A E
A P D E A S               R L B D L J N
R L E   F R P             T A U   E I T
A A S   T R E           I   V Z   V L A
J N U   C O J           N A O     I L N
E T E   A N O           A B N     S A A
B A L C O N H M J P       T O A L L A Y I S Z
A J O L A M P A R A   D E S V A N A O B R N
```

La casa, los cuartos y los muebles - 1

Completa las frases siguientes utilizando el vocabulario de abajo.

Complete the following sentences by using the vocabulary below.

la cocina • un librero • alacenas • dos sillas • un refrigerador • un sillón
cortinas • la oficina • una lámpara de pie • un fregadero • el salón • un horno
la mesita baja • el sofá • la computadora • cuadros • una lámpara • una persiana
la cocina • una mesa • un tapete • la barra • un lavavajillas • gavetas

1. Jorge y Olivia están en _____. Jorge está sentado en _____ y Olivia está sentada en _____. En el centro del cuarto hay _____. En la pared, hay _____. A la izquierda de Leo, hay una mesita con _____ encima. A su derecha, hay _____ con una pantalla a lunares. Detrás de él, hay una ventana con _____.

2. Raúl está en _____. Está sentado en su escritorio. Está haciendo investigaciones y trabajando con _____. Habría preferido navegar por Internet pero no tiene tiempo ahora. A su izquierda, hay _____ donde pone todos los libros que le gusta leer. Detrás de él, hay una ventana con _____ que Raúl levanta por las mañanas y que baja por las noches.

3. Rita está en _____ sentada sobre _____ delante de la ventana. Sobre el suelo, hay _____. Al lado, hay también _____ con un frutero encima y _____ para sentarse. A la izquierda de Rita, hay _____ donde puede lavar los platos a mano. No muy lejos y a la izquierda, hay _____, una máquina que lava los platos y los cubiertos al mismo tiempo. Luego, hay _____ en donde Rita guarda siempre una provisión del queso que le encanta. Por fin, hay _____ y _____ que Rita utiliza para preparar platos calientes. Por ambos lados de la ventana y debajo de la barra, hay _____ en donde Rita guarda pasta, arróz, especias y productos para limpiar la cocina.

La casa, los cuartos y los muebles - 2

Completa las frases siguientes utilizando el vocabulario de abajo.
Complete the following sentences by using the vocabulary below.

---

los estantes • una mesita de noche • la bañera • la televisión • un armario • el cuarto de baño
una cortina de ducha • cortinas • un jarrón • una toalla • un sillón • la habitación
el baño • cuadros • una pequeña mesa • la sala de estar • lavabo • la cama
un equipo de sonido • lámparas • un reproductor de DVD's • un espejo

1. Elena está en _____. Ella está sentada en _____ y ve _____. Debajo de la televisión, hay _____ _____ que acaba de comprar porque le encanta ver películas. De hecho, Elena colecciona películas y las pone sobre _____ en el fondo del cuarto al lado de la ventana. Es allá también donde hay _____ _____ para escuchar música. A su izquierda, sobre el suelo, hay _____ con flores. Entre las flores y el sillón, hay _____ _____ con una lámpara encima para iluminar más la sala en las noches.

2. Paulo está en _____.
Se da un baño en _____. Cuando Paulo se ducha, usa _____ para no mojar en todas partes. Cuando sale de la bañera, va sobre el tapete y se seca con _____.
Hay otro tapete delante del _____ donde Paulo se lava las manos y se cepilla los dientes. Encima, hay _____ que le encanta a Paulo porque puede mirarse, hacer muecas, peinarse y prepararse antes de salir. Encima, hay tres pequeñas _____ para ver más facilmente. Por fín a la izquierda, está _____ _____ con papel higiénico justo al lado.

3. El primo de Paulo, Daniel, acaba de llegar después de un viaje muy largo y descansa sobre _____ en _____ de Paulo. Por ambos lados de la cama, hay _____ con una lámpara encima. Junto a la cabecera de la cama hay cinco _____. Cuatro de ellos son pequeños y el quinto es muy grande. A la derecha, hay una ventana con una vista al jardín y _____ que cierra cuando no quiere mirar afuera. Y por fín, a la izquierda, hay _____ para la ropa de Paulo.

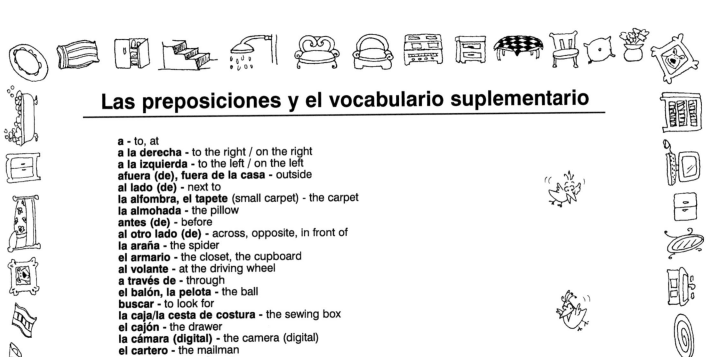

Las preposiciones y el vocabulario suplementario

a - to, at
a la derecha - to the right / on the right
a la izquierda - to the left / on the left
afuera (de), fuera de la casa - outside
al lado (de) - next to
la alfombra, el tapete (small carpet) - the carpet
la almohada - the pillow
antes (de) - before
al otro lado (de) - across, opposite, in front of
la araña - the spider
el armario - the closet, the cupboard
al volante - at the driving wheel
a través de - through
el balón, la pelota - the ball
buscar - to look for
la caja/la cesta de costura - the sewing box
el cajón - the drawer
la cámara (digital) - the camera (digital)
el cartero - the mailman
cerca de - near, close to
el coche / el carro - the car
con - with
contra - against
el cuadro - the painting
de - of, from
debajo de - under
debajo de, bajo, abajo (de) - underneath, under, below, downstairs, at the bottom of
delante de, en frente de - in front of
dentro (de) - inside
después (de) - after
detrás (de) - behind
en - in, inside
en casa - at home
en el asiento delantero - in the front seat
en el asiento trasero / de atrás - in the back seat of a car
en el fondo (de) - in the back (of), the far end, at the bottom
en la planta baja - on the main floor
en el primer piso - on the first floor
en el sótano - in the basement
en el último piso - on the top floor
en medio de, en el centro de - in the middle of
encima (de) - on top, over it, above
encontrar - to find
entre - between
el espejo - the mirror
la estantería - the bookcase
estar de pie/Estoy de pie. - to be standing up/I'm standing up.
hablar - to speak, to talk
jugar a las cartas - to play cards
La / Lo / Le calienta. - It keeps her (him) warm.
leer - to read
la maceta - the plant pot / flower pot
el maletero / la cajuela - the trunk
la mesa, la mesita - the table, the small table
el paquete - the package
pasar, deslizar - to slide
poner, meter - to place, to put
por - by
por encima, arriba - at the top, above, upstairs, at the top of
la puerta - the door
el ratón - the mouse
recoger, ordenar - to put back
el sillón - the chair, the armchair
sin - without
sobre - on
tener - to hold
vivir - to live, to reside

Preposiciones - ¿Dónde está la llave?

Lorenzo ha perdido su llave y todo el mundo la busca. ¿Pero quién busca y dónde? Completa las frases siguientes escribiendo el nombre apropiado y encerrando en un círculo la preposición apropiada. Lorenzo has lost his key and everyone is looking for it. But who is looking where? Complete the following sentences by writing the correct name and drawing a circle around the correct preposition.

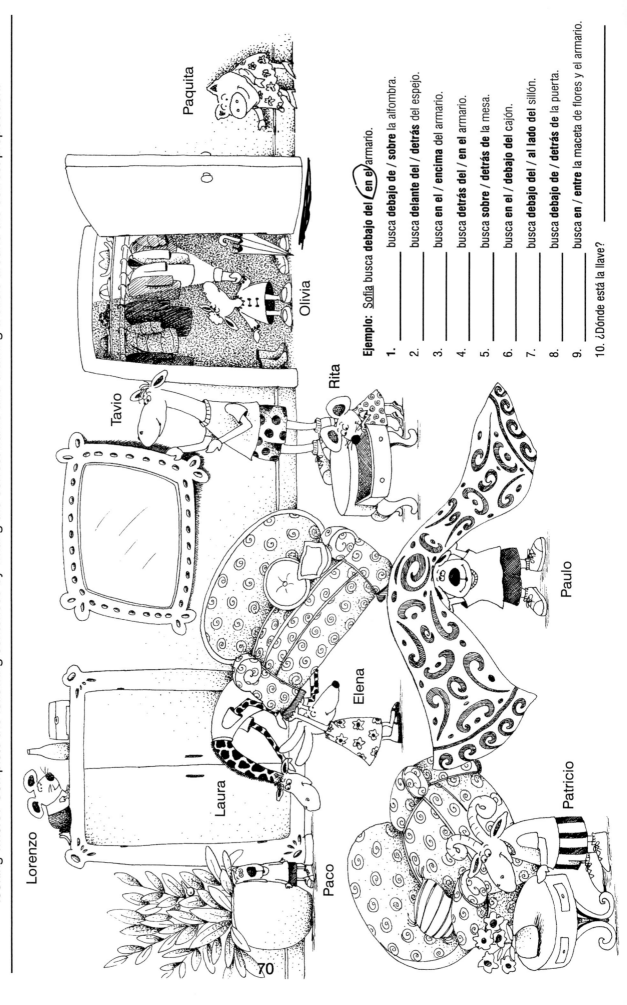

Ejemplo: <u>Sofía</u> busca debajo del / en el armario.

1. _____ busca **debajo de** / **sobre** la alfombra.

2. _____ busca **delante del** / **detrás** del espejo.

3. _____ busca **en el** / **encima** del armario.

4. _____ busca **detrás del** / **en el** armario.

5. _____ busca **sobre** / **detrás de** la mesa.

6. _____ busca **en el** / **debajo del** cajón.

7. _____ busca **debajo del** / **al lado del** sillón.

8. _____ busca **debajo de** / **detrás de** la puerta.

9. _____ busca **en** / **entre** la maceta de flores y el armario.

10. ¿Dónde está la llave?

70

En casa de Paulo y Elena
Las preposiciones

Completa las frases siguientes utilizando el vocabulario de abajo.

Complete the following sentences by using the vocabulary below.

en - in
sobre - on
debajo de/del - under
al lado de/del - next to
delante de/del - in front of
detrás de/del - behind
entre - between

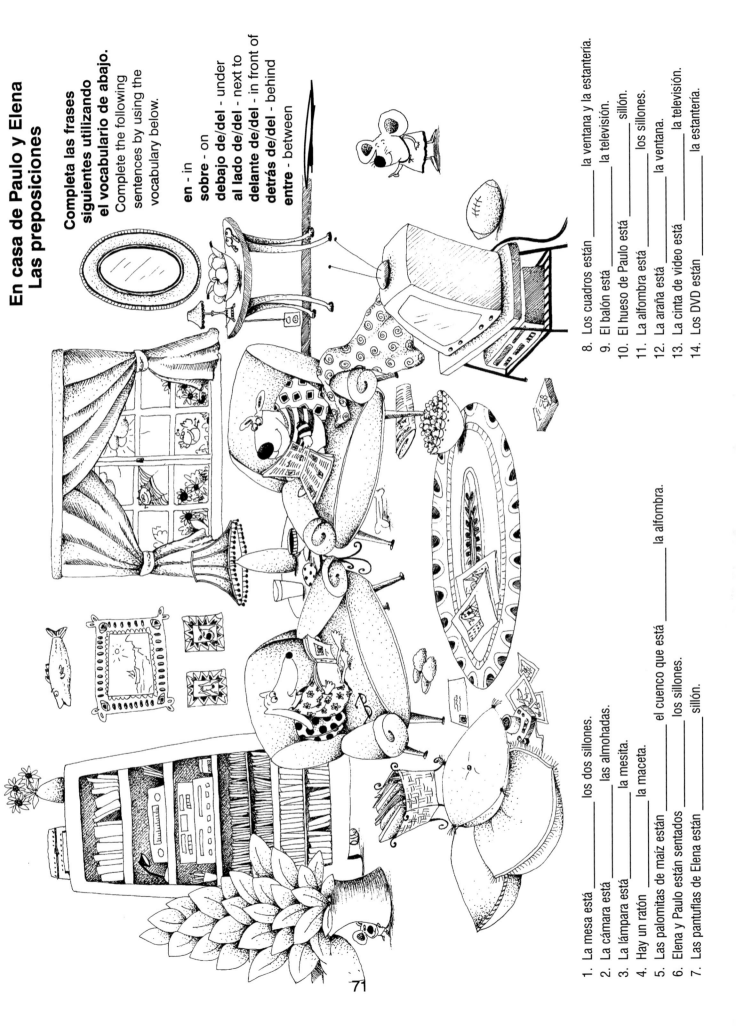

1. La mesa está _____ los dos sillones.
2. La cámara está _____ las almohadas.
3. La lámpara está _____ la mesita.
4. Hay un ratón _____ la maceta.
5. Las palomitas de maíz están _____ el cuenco que está _____ la alfombra.
6. Elena y Paulo están sentados _____ los sillones.
7. Las pantuflas de Elena están _____ sillón.

8. Los cuadros están _____ la ventana y la estantería.
9. El balón está _____ la televisión.
10. El hueso de Paulo está _____ sillón.
11. La alfombra está _____ los sillones.
12. La araña está _____ la ventana.
13. La cinta de vídeo está _____ la televisión.
14. Los DVD están _____ la estantería.

71

Estar en familia - preposiciones

Completa las frases siguientes sobre Luis y su familia.
Complete the following sentences about Luís and his family.

al lado • con • en el centro • sobre • a la derecha • cerca • en • el fondo • a • detrás

1. Luis está de pie _____ de su abuelo Ricardo.
2. Tía Manuela está sentada a la mesa _____ una silla.
3. Mamá está en _____ de la sala de estar, cerca de la entrada.
4. Abuelo Ricardo lee el periódico _____ su sillón preferido.
5. Papa está _____ de la sala de estar con Carlos sentado _____ su brazo y Matilde a su lado.
6. Tío Enrique usa su celular _____ de la ventana.
7. Abuela María está _____ de Mama con un chal _____ la espalda que la calienta.
8. Tío Tomás juega a las cartas _____ Tía Manuela _____ la mesa.
9. Matilde está _____ de su padre. Se dan la mano y están de pie _____ de la mesa donde Tía Manuela y Tío Tomás juegan a las cartas.
10. Todo el mundo está _____ la sala de estar.

El edificio de apartamentos

¿Dónde viven todos nuestros amigos?
Completa las frases siguientes.

Where do all our friends live?
Complete the following sentences.

1 _____

viven al lado de Patricio.

2. _____

viven por encima de Laura.

3. _____

viven en el la planta baja.

4. Luis y Lorenzo viven debajo

de _____ .

5. _____

_____

viven en el primer piso.

6. _____

están en la alzotea.

7. _____

_____

viven en el segundo piso.

8. _____

_____

viven en el último piso.

Antonio y Rita

Paulo y Elena

Patricio

Mario y Olivia

Paquita y Ramón

Laura

Luis y Lorenzo

Hola!

Raúl

Leticia

73

Preposiciones - Ordenar la casa

Antes de irse de vacaciones, Paulo y Elena deben ordenar todas sus cosas. Marca el cuadro apropiado para cada imagen. Before leaving on vacation, Paulo and Elena have to put all of their things away. Check the correct box.

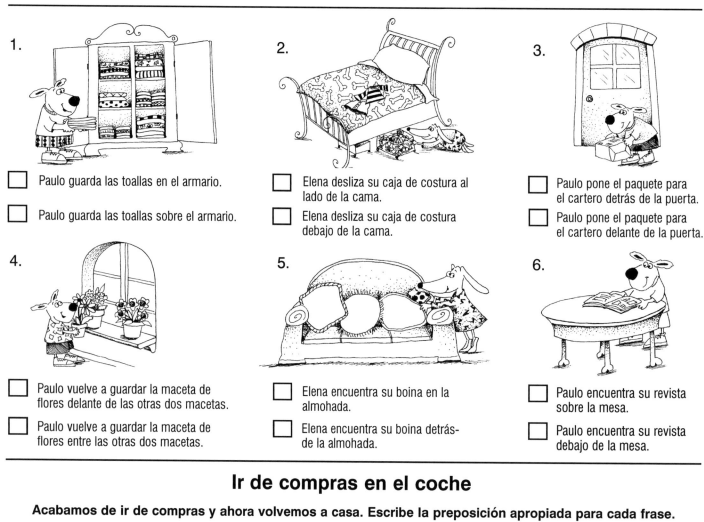

1.

☐ Paulo guarda las toallas en el armario.

☐ Paulo guarda las toallas sobre el armario.

2.

☐ Elena desliza su caja de costura al lado de la cama.

☐ Elena desliza su caja de costura debajo de la cama.

3.

☐ Paulo pone el paquete para el cartero detrás de la puerta.

☐ Paulo pone el paquete para el cartero delante de la puerta.

4.

☐ Paulo vuelve a guardar la maceta de flores delante de las otras dos macetas.

☐ Paulo vuelve a guardar la maceta de flores entre las otras dos macetas.

5.

☐ Elena encuentra su boina en la almohada.

☐ Elena encuentra su boina detrás de la almohada.

6.

☐ Paulo encuentra su revista sobre la mesa.

☐ Paulo encuentra su revista debajo de la mesa.

Ir de compras en el coche

Acabamos de ir de compras y ahora volvemos a casa. Escribe la preposición apropiada para cada frase.
We just went shopping and now we are going home. Write the correct preposition for each sentence.

en el maletero • el asiento delantero • el asiento trasero • a la derecha • a la izquierda • al volante • detrás de

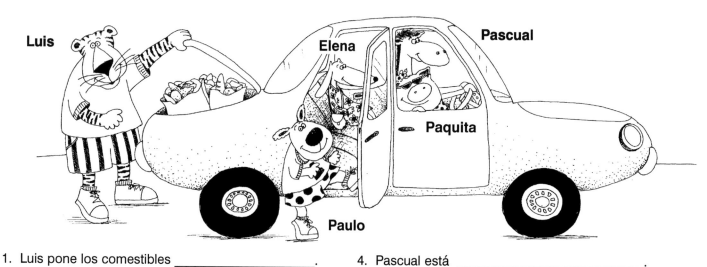

1. Luis pone los comestibles _____.
2. Paulo sube al coche _____.
3. Elena está sentada _____ Pascual, _____.

4. Pascual está _____.
5. Paquita está sentada en _____ y _____ del conductor.
6. Elena y Pascual están sentados en _____.

74

Mi barrio - Las tiendas y los servicios

el ayuntamiento - the town hall
el banco - the bank
el barco turístico - the river boat (for sightseeing)
la biblioteca - the library
el café - the café, the coffee shop
la carnicería - the butcher's shop
el cine - the movies, the movie theatre
el correo - the post office
el edificio de apartamentos - the apartment building
la escuela - the school
la farmacia - the pharmacy
la ferretería - the hardware store
la florería - the florist
el hotel - the hotel
la iglesia - the church
la joyería - the jewelry store
la juguetería - the toy store
la librería - the book store
el mercado - the market
el mercado de frutas y verduras - the fruit
and vegetable market
el museo - the museum
la panadería - the bakery
la papelería - the stationary shop
el parque - the park
la pastelería - the pastry shop
la perfumería - the perfume store
el puente - the bridge
el restaurante - the restaurant
la tienda - the store
la tienda de deportes - the sports store
la tienda de discos - the music store
la tienda de la esquina - the corner store
la tienda de ropa, la boutique - the boutique
la zapatería - the shoe store

ir - to go

yo voy - I go, I do go
tú vas - you go (fam. sing.), ...
vosotros vais - you go (pl.), ...
usted va - you go (form. sing.), ...
él/ella va - he/she goes, ...
nosotros vamos - we go, ...
ustedes van - you go (form. pl.), ...
ellos/ellas van - they go (masc./fem. pl.), ...

Yo voy al banco. - I go to the bank.
Tú vas al mercado. - You go to the market.

> **Mira el mapa "Mi barrio". Escoge un lugar. ¿Dónde estás? ¿A dónde vas y qué camino tomas para llegar a tu destino?** Look at the map "My neighborhood". Choose a place. Where are you? Where are you going and how do you get there?

delante de
en frente de
todo derecho
al otro lado de

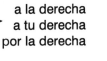

a la izquierda
a tu izquierda
por la izquierda

a la derecha
a tu derecha
por la derecha

detrás de

Vocabulario suplementario

a lo largo de - (all) along the
a la derecha - on the right
a tu derecha - on your right
a la izquierda - on the left
a tu izquierda - on your left
abajo - below
afuera de - outside
al lado de - next to, nearby
al otro lado de - across (from)
caminar por - to go along(side), to walk along(side)
cerca de - near, close to
continuar - to continue
cruzar - to cross
debajo de, por debajo de, bajo - under, underneath
del lado de - on the side of, over by
delante de, en frente de - in front of
detrás de - behind

doblar (a la derecha) - to turn (to the right)
en - in, at
en la esquina (de) - at the corner (of)
en la esquina - at the corner of
en, dentro - inside
encontrarse con - to fall (upon), to come across
entre - in between
hacia - towards
hasta - until
ir adelante - to go straight ahead
lejos de - far (from)
llegar - to arrive
mirar - to watch, to look at
pasar por - to pass
por encima de, arriba de - above, on top of
seguir/sigue - to follow/you follow
sobre - on

Mi barrio

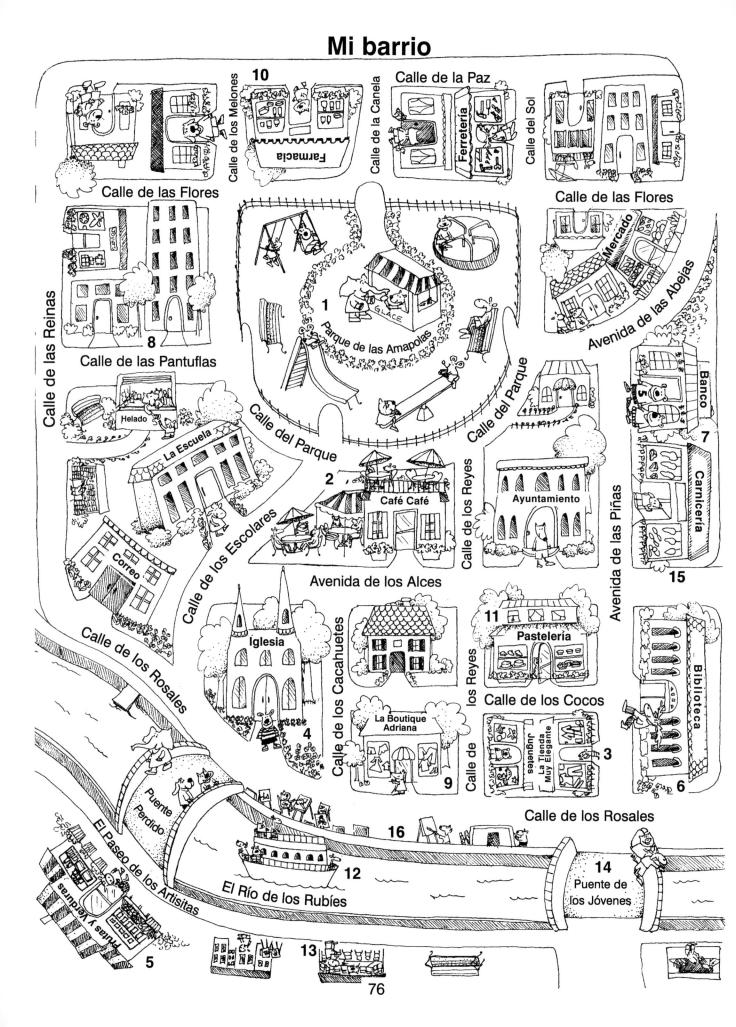

Mi barrio

1. Encuentra cada número sobre el mapa y escríbelo al lado de la frase que le coresponde.
   Después, encierra en un círculo la preposición apropiada por cada frase.
   Find each number on the city map and write it next to the sentence that corresponds.
   Then, circle the correct preposition for each sentence.

2. Sigue las direcciones de abajo y cuando llegues a tu destino, escríbelo.
   Follow the directions below and when you arrive at the destination, write it down.

1.

___ La farmacia está situada en/lejos de la Calle de los Cocos.

___ Hay artistas que pintan a lo largo/detrás del Río de los Rubíes.

___ Irene la elefante está en el/afuera del parque de las Amapolas.

___ Detrás/delante de la Tienda Muy Elegante hay una juguetería.

___ Paulo está en la Calle de los Rosales en frente/detrás de la iglesia.

___ El barco turístico acaba de pasar por encima/por abajo del Puente Perdido.

___ Paquita la pequeña puerca y su amigo están sobre el/debajo del Puente de los Jóvenes.

___ La pastelería está situada en la Calle de los Cocos a la izquierda/a la derecha de la casa.

___ En la Avenida de las Piñas, la biblioteca está detrás/al otro lado de la Tienda Muy Elegante.

___ La carnicería está en la esquina/detrás de la Avenida de las Piñas y la Avenida de los Alces.

___ Café Café, que está situado en la Avenida de los Alces, está en el/a la izquierda del ayuntamiento.

___ A la izquierda/en frente de la carnicería que está situada en la Avenida de las Piñas, hay un banco.

___ La Boutique Adriana está situada entre/debajo de la Calle de los Cacahuetes y la Calle de los Reyes.

___ En el paseo de los Artistas, a la izquierda/dentro del mercado de frutas y verduras, hay kioscos y puestos.

___ Estás en la Calle de los Rosales. Si pasas por el Puente Perdido, llegarás al Paseo de los Artistas y al otro lado/al lado, está el mercado de frutas y verduras.

___ El edificio de apartamentos está en la esquina de/a la derecha de la Avenida de las Pantuflas y la Calle del Parque de las Amapolas.

2.

Direcciones

Estás en el Puente Perdido, al otro lado del mercado de frutas y verduras. Tú doblas a la izquierda, caminas por el Paseo de los Artistas hasta el Puente de los Jóvenes, pasas por el puente y continuas todo derecho en la Avenda de las Piñas. Cuando llegues a la Avenida de los Alces, tú doblas a la izquierda y después, tomas la primera calle a la derecha. Ve todo derecho hasta la Calle del Parque, dobla a la derecha y sigue la Calle del Parque. Vas a llegar dentro de poco a la Calle de las Flores. Cruza la Calle de las Flores y continua todo derecho. Si miras a tu izquierda, estás en frente de... _____.

Las tiendas y los artículos que se compran

una agenda - an agenda
un anillo - a ring
aretes (m) - earrings
arróz (m) - rice
un asado - a roast
aspirina(f) - aspirin
un avión de juguete - a toy plane
azúcar (m) - sugar
un balón - a ball
una barra de pan - a baguette
un bate - a bat
un bistec - a steak
un bloc - a pad of paper
un bloqueador - a sunscreen
una blusa - a blouse
una bolsa - a bag/purse
un bollo - a brioche, a roll
botas (f) - boots
una botella de agua - a bottle of water
un broche - a brooch
un calabacín - a zucchini
calcetines (m) - socks
un calendario - a calendar
una camisa - a shirt
una camiseta - a T-shirt
caramelos (m) - candies
carne de res molida (f) - ground beef
una cinta - a cassette
un collar - a necklace
una cometa / un papalote - a kite
crema (f) - cream
una crema facial - a facial cream
un croisant - a croissant
un cuaderno - a notebook
un champú - shampoo
una chaqueta - a dress jacket
un chicle - chewing gum
chuletas de cerdo (f) - pork chops
dalias (f) - dahlias
un desodorante - a deodorant
un disco - a disc, a record
un enjuague bucal - mouthwash
una falda - a skirt
un flan - a crème caramel
frutas (m) - fruits
gafas de sol (f) / lentes de sol (f) - sunglasses
galletas (f) - cookies
gemelos (m) - cufflinks
gladiolas (f) - gladiolus
una goma - an eraser
una gorra - a baseball cap
un guante de beísbol - a baseball glove
guantes (m) - gloves
hilo dental (m) - dental floss
una historieta / un libro de cómics - a comic book
un iPod® - an iPod®
jabón (m) - soap
juguetes / un juego de mesa - toys / a board game
jugos de frutas (m) - fruit juices
Kleenex® / pañuelos desechables (m) - Kleenex®
un lápiz (lapices - pl.) - a pencil
leche (f) - milk

una lechuga - a lettuce
un libro - a book
lirios (m) - irises
una manzana - an apple
un marcador - a marker
margaritas (f) - daisies
medicamentos (m) / medicinas (f) - medicine
un melón - a melon
mermelada (f) - jam
mocasines (m) - loafers
una muñeca - a doll
una naranja - an orange
narcisos (m) - daffodils
una novela - a novel
pan (m) - bread
pan integral (m) - a whole-grain bread
pantalones (de mezclillo) (m) - pants (jeans)
pantalones cortos (m) - shorts
pantuflas (f) - slippers
papel (m) - paper
perfume (m) - perfume
pasta (f) - pasta
un pastel / un bizcocho - a pastry
un pastel de manzana - an apple pie
un pastel, una tarta - a cake
pasta de dientes (f), dentífrico (m) - toothpaste
una patata/una papa - a potato
patatas (papas) fritas (f) - chips
patines en línea (m) - rollerblades
una patineta - a skateboard
pensamientos (m) - pansies
un periódico/diario (daily) - a newspaper
pilas (f) - batteries
una pluma - a pen
productos lácteos (m) - dairy products
una pulsera - a bracelet
queso (m) - cheese
una raqueta - a tennis racket
un reloj de pulso / pulsera - a wristwatch
una revista - a magazine
rosas (f) - roses
sandalias (f) - sandals
un sándwich, bocadillo - a sandwich
un sobre - an envelope
un sombrero - a hat
tapones para los oídos (m) - earplugs
una tarjeta - a greeting card
una tarjeta postal - a postcard
tenis (m) / zapatos tenis (m) - tennis shoes
un tren de juguete - a toy train
tulipanes (m) - tulips
un CD - a CD
vaqueros/bluejeans - a pair of jeans
verduras - vegetables
un vestido - a dress
vitaminas - vitamins
un yogur - a yoghurt
pantuflas (f) - slippers
zapatos de tacón alto - pumps
zapatos para caminar - walking shoes
zuecos - clogs

Las tiendas

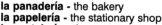

el ayuntamiento - the town hall
la carnicería - the butcher's shop
la farmacia - the pharmacy
la ferretería - the hardware store
la florería - the florist
las grandes almacenes - department stores
la joyería - the jewelry store
la juguetería - the toy store
la lechería - the dairy
la librería - the bookstore
el mercado (de frutas y verduras) - the market (fruits and vegetables)

la panadería - the bakery
la papelería - the stationary shop
la pastelería - the pastry shop
la perfumería - the perfume store
la tienda - the store
la tienda (de ropa) - the clothing store
la tienda de deportes - the sports store
la tienda de discos (música) - the music store
la tienda de la esquina - the corner store
la zapatería - the shoe store

Las tiendas - 1

Nos vamos de compras. ¿En qué tienda se venden los artículos escritos abajo? Escribe el número apropiado al lado de cada artículo. Luego, completa las frases siguientes y escribe lo que vas a comprar utilizando el vocabulario. Yo voy a comprar...

We're going to go shopping. Which store sells the articles listed below? Write the correct number next to each article.
Then, complete the following sentences and write what you are going to buy by using the vocabulary. I'm going to buy...

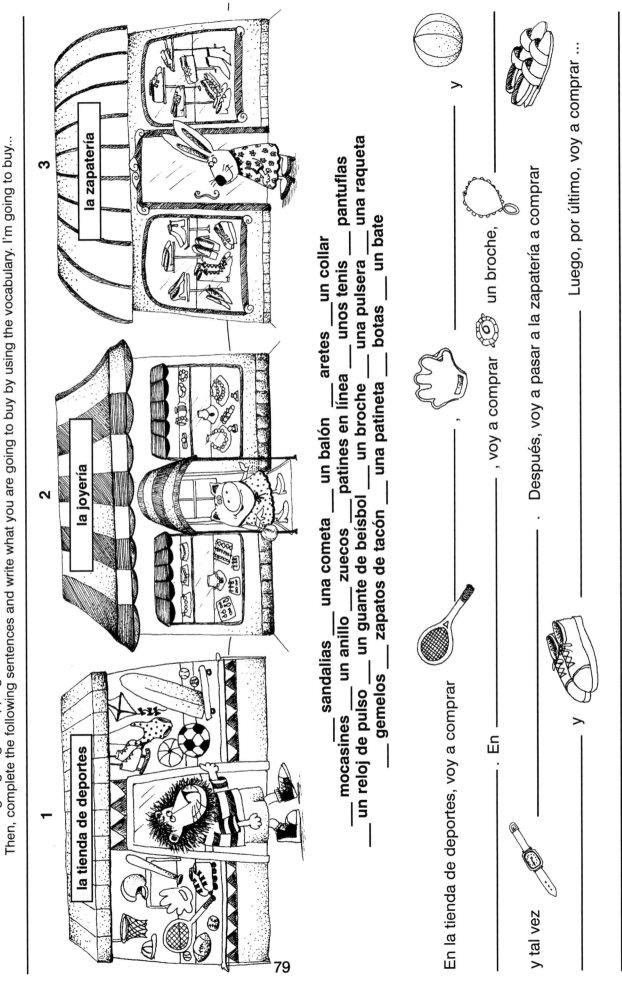

1   la tienda de deportes

2   la joyería

3   la zapatería

___ sandalias   ___ una cometa   ___ un balón   ___ aretes   ___ un collar

___ mocasines   ___ un anillo   ___ zuecos   ___ patines en línea   ___ unos tenis   ___ pantuflas

___ un reloj de pulso   ___ un guante de beisbol   ___ un broche   ___ una pulsera   ___ una raqueta

___ gemelos   ___ zapatos de tacón   ___ una patineta   ___ botas   ___ un bate

En la tienda de deportes, voy a comprar _____ y _____

_____ . En _____ , voy a comprar _____ ,

_____ y tal vez _____ un broche, _____ , voy a comprar _____

_____ . Después, voy a pasar a la zapatería a comprar _____

_____ . Luego, por último, voy a comprar ...

79

Las tiendas - 2

¿Qué podemos comprar en la librería y en el mercado? Marca todos los artículos que se pueden comprar en cada tienda.
What can a person buy at the book store and at the market? Check off all of the articles that may be bought in each of the stores.

el mercado

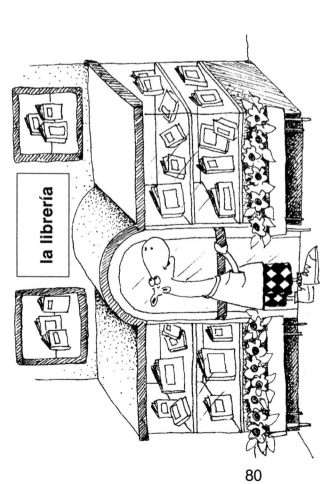

la librería

En el mercado, se compran...

___ galletas	___ jugo
___ botas	___ cereales
___ chocolate	___ vestidos
___ verduras	___ collares
___ medicamentos	___ arroz
___ muñecas	___ pan
___ productos lácteos	___ patines en línea
___ carne	___ perfume
___ frutas	___ pastas

En la librería, se compran...

___ libros	___ periódicos
___ novelas	___ calendarios
___ pensamientos	___ pastel
___ anillos	___ un diccionario
___ duraznos	___ queso
___ periódicos	___ enciclopedias
___ órdenes del día	___ zapatos de tacón
___ faldas	___ relojes (de pulsera)
___ cometas	___ libros de cómicos

Las tiendas - 3

¿En qué tienda se venden los artículos escritos abajo? Escribe el número apropiado al lado de cada artículo. Which store is selling the articles listed below? Write the correct number next to each article.

1 la florería

2 la tienda de ropa

3 la papelería

___ un sobre

___ unos pantalones cortos

___ una camisa

___ papel

___ una bolsa

___ rosas

___ vaqueros

___ una tarjeta de felicitación

___ lirios

___ lapices

___ narcisos

___ un sombrero

___ dalias

___ un cuadro

___ una pluma

___ una goma

___ una falda

___ margaritas

___ una tarjeta postal

___ una camiseta

___ pensamientos

___ unos pantalones

___ un vestido

___ calcetines

___ tulipanes

___ una blusa

___ un marcador

___ una chaqueta

Las tiendas - 4

¿En qué tienda se venden los artículos escritos abajo? Conecta cada grupo de artículos a la tienda apropiada. Después, escribe el nombre de la tienda. Which store sells each of these articles listed below? Draw a line from each group of articles to the correct store and write the name of the store in the box. Can you give the equivalent of each article in English?

la farmacia • la pastelería • la perfumería • el mercado de frutas y verduras • la tienda de discos • la juguetería

un balón
un juego de tren
un juego de mesa
un juego de avión
una muñeca

jabón
vitaminas
champú
medicamentos
un bloqueador solar
una crema facial

un CD
un disco
una cinta

(agua de) colonia
perfume
agua de lavanda

una manzana
un melón
una lechuga
un calabacín
una papa
una naranja

una empanada
un bollo
un pan integral
pan
una medialuna

82

Las tiendas - 5

¿En qué tienda se venden los artículos escritos abajo? Escribe cada artículo debajo de la tienda apropiada.
Which store sells each of these articles listed below? Write each article under the correct store.

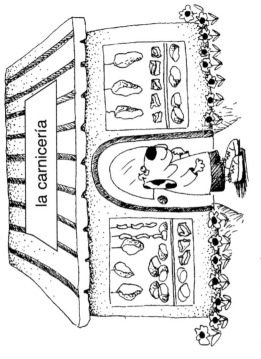

la carnicería

En la carnicería, compro...

la pastelería

En la pastelería, compro...

la cremería

En la cremería, compro...

la tienda de la esquina

En la tienda de la esquina, compro...

mermelada

pan

crema

azúcar

una tarta

galletas

chuletas de cerdo

frutas

un asado

queso

verduras

arroz

un pastel de manzana

un flan

pastel

papas fritas

un yogur

un bistek

leche

carne picada

Las tiendas. Me fui de compras.

Me fui de compras para el viaje. Identifica todos los artículos escribiendo el número apropiado al lado de cada artículo. I went shopping for the trip. Identify all of the articles by writing the correct number next to each word.

___hilo dental • ___champú • ___un sándwich • ___una goma • ___jabón • ___un reloj de pulsera
___tapones paro los oídos • ___pasta de dientes • ___gafas del sol • ___aspirina • ___un bloc
___una pluma y un lápiz • ___un iPod® • ___caramelos • ___un peine • ___una novela
___pilas • ___una crema facial • ___un cepillo de dientes • ___chicle • ___Kleenex®
___guantes • ___sobres • ___botas • ___una botella de agua • ___un CD
___un desodorante • ___un enjuague bucal • ___una cinta • ___vitaminas

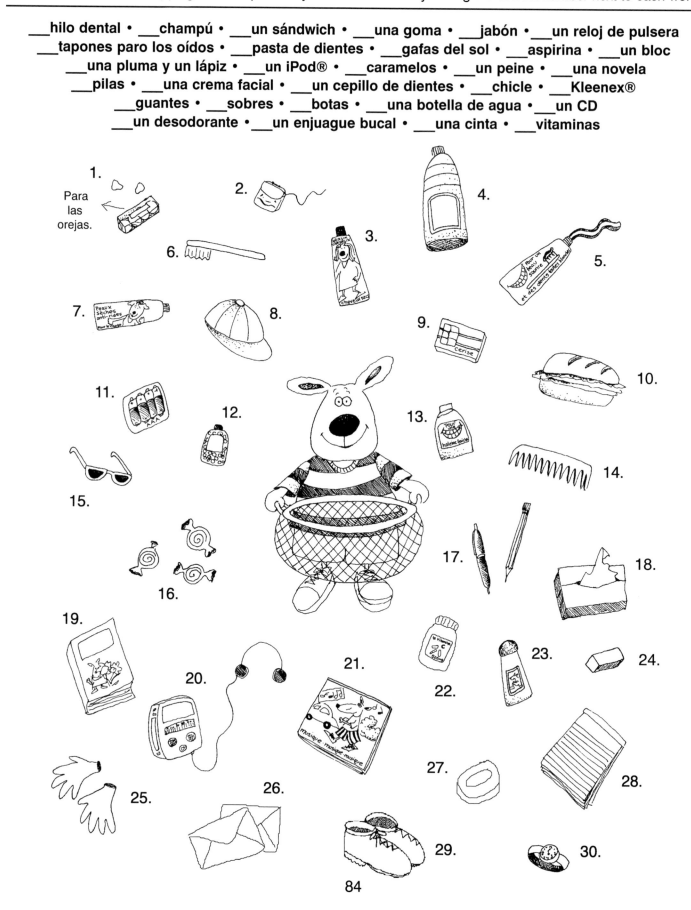

1. Para las orejas.
2.
3.
4.
5.
6.
7.
8.
9.
10.
11.
12.
13.
14.
15.
16.
17.
18.
19.
20.
21.
22.
23.
24.
25.
26.
27.
28.
29.
30.

Los deportes y las actividades

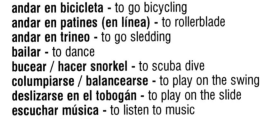

andar en bicicleta - to go bicycling
andar en patines (en línea) - to rollerblade
andar en trineo - to go sledding
bailar - to dance
bucear / hacer snorkel - to scuba dive
columpiarse / balancearse - to play on the swing
deslizarse en el tobogán - to play on the slide
escuchar música - to listen to music
esquiar - to ski
hacer alpinismo - to go mountain climbing
hacer una caminata / salir a caminar -
to go on a hike
hacer el esquí acuático - to water ski
hacer paracaidismo - to go parachuting
hacer parasailing - to go parasailing
hacer snowboard - to go snowboarding
hacer surf - to go surfing
hacer windsurf - to go windsurfing
ir a dar un paseo en barca - to go boating
ir / salir a correr - to go jogging
ir al campo - to go camping
ir de pesca - to go fishing
ir de picnic - to go for a picnic
ir en barco de vela - to go sailing
ir / montar en monopatín - to skateboard
jugar al avión - to play hopscotch
jugar (al) bádminton - to play badminton
jugar (al) baloncesto/básquetbol - to play basketball
jugar (al) béisbol - to play baseball
jugar (al) fútbol - to play soccer
jugar (al) fútbol (americano) - to play football
jugar (al) golf - to play golf
jugar (al) hockey - to play hockey
jugar (al) ping-pong - to play ping-pong
jugar (al) tenis - to play tennis
jugar (al) voleibol - to play volleyball
jugar con la pelota - to play with a ball
nadar - to swim
patinar sobre hielo - to iceskate
patinar sobre ruedas - to rollerskate
pescar - to line fish
saltar la cuerda - to jump rope
volar una cometa - to fly a kite

¿Cuál deporte pratican Paulo y Elena en la imajen de abajo?
Which sport are Paulo and Elena doing in the picture below?
¿Cuál deporte praticas? Which sport do you do? **Practico...**
I play/do... **¿Cuál es tu actividad preferida?** What is your
favorite activity? **Prefiero...** I prefer... **Indentifica todos
los artículos de deporte dibujados en la página.**
Name all the sports equipment items on this page.

El equipo

el balón de basquetbol - the basketball
el balón de fútbol - the soccerball
el balón de fútbol americano - the football
el balón de voleibol - the volleyball
el bate - the baseball bat
el beisbol - the baseball
las botas de esquí - the ski boots
la caña de pescar - the fishing rod
la canasta - the basket
los esquís - the skis
el gallito del bádminton - the birdie (for badminton)
el guante de beisbol - the baseball glove
el palo de golf - the golf club
el palo de hockey, el stick - the hockey stick
los patines en línea - the rollerblades
los patines (de hielo) - the iceskates
los patines sobre ruedas - the rollerskates
el monopatín - the skateboard
la pelota de golf - the golf ball
la pelota de tenis - the tennis ball
el puck - the hockey puck
la raqueta de bádminton - the badminton racket
la raqueta de ping-pong - the ping-pong paddle
la raqueta de tenis - the tennis racket
la red - the net
el snowboard - the snowboard

jugar - to play

yo juego - I play, I do play
tú juegas - you play (fam. sing.),...
él juega - he plays..., **ella juega** - she plays,...
usted juega - you play (form. sing.)...
nosotros jugamos - we play,...
vosotros jugáis - you play(pl.),...
ustedes juegan - you play (pl. form.),...
ellos/ellas juegan - they play (masc./fem. pl.),...

hacer - to do, to make

yo hago - I do/make, I do do/make
tú haces - you do/make (fam. sing.),...
él hace - he does/makes,...**ella hace** - she does...
usted hace - you do/make (form. sing.),...
nosotros hacemos - we do/make,...
vosotros hacéis - you do/make (pl.),...
ustedes hacen - you do/make (sing. form.),...
ellos/ellas hacen - they do/make (masc./fem. pl.),...

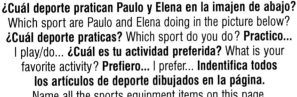

Los deportes - 1

Patricio _____

Roberto _____

Luis _____

Lucía _____

Paquita _____

¿Qué deporte pratican? Escoge el deporte apropiado de la lista de abajo y escribelo debajo de cada imagen. Which sports are they doing? Choose the correct sport from the list below and write it underneath each drawing.

patina sobre hielo

anda en bicicleta

va en monopatín

hace una caminata

nada

anda en patines en línea

hace snowboard

va a correr

esquía

hace esquí acuático

Raúl _____

Jorge _____

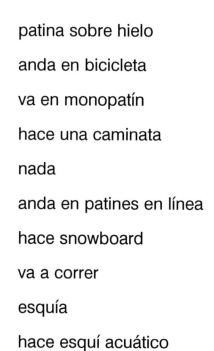

Rita _____

Sofia _____

Paulo _____

86

Los deportes - 2

Escoge el deporte apropiado (o la actividad apropiada) utilizando el vocabulario de abajo y escríbelo debajo de cada imagen.
Está/Están haciendo/jugando... He/They are doing/playing... Choose the correct sport or activity from the vocabulary below and write it under each drawing.

Se están columpiando. • Está jugando fútbol americano. • Están jugando ping-pong. • Está jugando fútbol.
Están jugando voleibol. • Está jugando tenis. • Está jugando bádminton. • Está jugando básquetbol. • Está jugando hockey.
Se está deslizando en el tobogán. • Está jugando golf. • Está saltando a la cuerda. • Está jugando al avión. • Están jugando con la pelota.

1.

2.

3.

4.

5.

6.

7.

8.

9.

10.

11.

12.

13.

14.

Los deportes y el viaje - 1

Durante su viaje, Paulo y Elena van a hacer actividades o deportes. ¿Qué deportes o actividades van a hacer? Completa las frases siguientes utilizando el vocabulario de abajo. Paulo and Elena are going to do sports during the trip. Which sports are they going to do? Complete the following sentences by using the vocabulary below.

ir de pesca • snowboard • alpinismo • patinaje sobre hielo • surf • esquiar

---

1. En Francia, vamos a hacer

_____ y

a _____ .

2. En Noruega, vamos a

_____ .

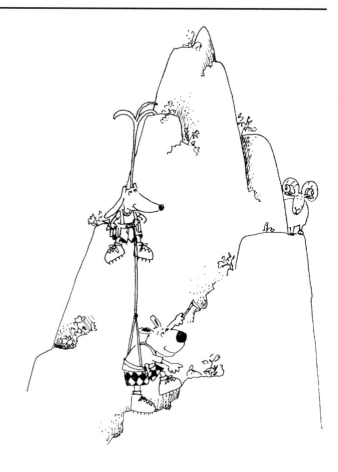

2. En Suiza, vamos a hacer

_____ .

3. En Australia, vamos a hacer

_____ .

4. En Rusia, vamos a hacer

_____ .

Los deportes y el viaje - 2

Durante su viaje, Paulo y Elena van a hacer actividades o deportes. ¿Qué deportes o actividades van a hacer? Completa las frases siguientes utilizando el vocabulario de abajo. Paulo and Elena are going to do sports during the trip. Which sports are they going to do? Complete the following sentences by using the vocabulary below.

**hacer windsurf • hacer snorkel • ir en barco de vela
hacer parasailing • hacer paracaidismo**

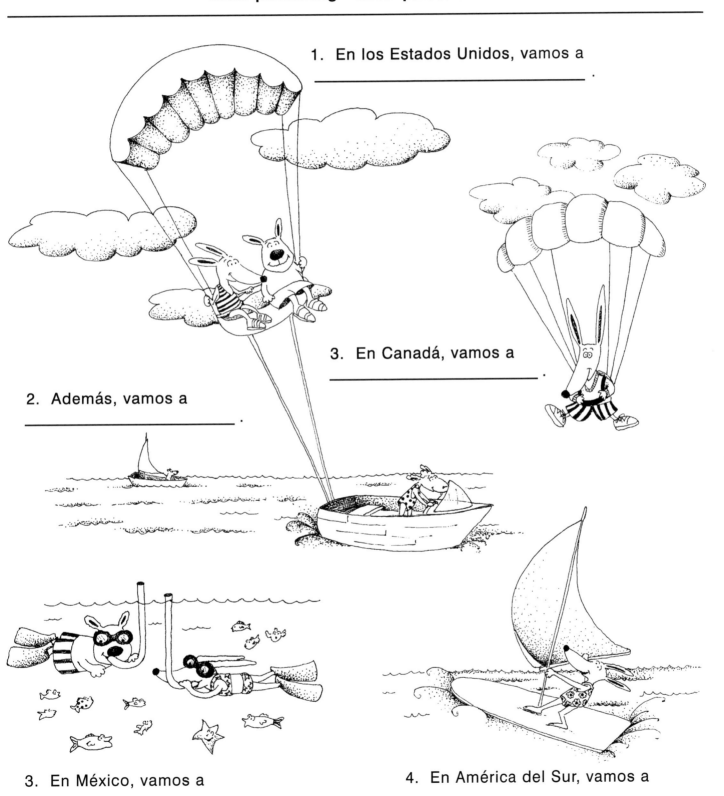

1. En los Estados Unidos, vamos a
   _____ .

3. En Canadá, vamos a
   _____ .

2. Además, vamos a
   _____ .

3. En México, vamos a
   _____ .

4. En América del Sur, vamos a
   _____ .

89

Los deportes y el equipo

Escribe el nombre de cada objeto utilizando el vocabulario de abajo y en qué deporte se utiliza.

Write the name of each object by using the vocabulary below and in which sport it is used.

---

la raqueta y pelota de tenis • el bate, el guante y la pelota de béisbol • el balón y la canasta de basquetbol • el balón de fútbol americano • los patines en línea • la raqueta y el gallito de bádminton • los esquís y las botas de esquí • los patines de hielo • la red y el balón de voleibol • el palo de hockey y el puck • el palo y la pelota de golf • el balón de fútbol

1.

_____

_____

2.

_____

_____

3.

_____

_____

4.

_____

_____

5.

_____

_____

6.

_____

_____

7.

_____

_____

8.

_____

_____

9.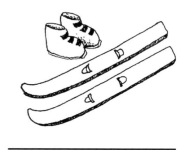

_____

_____

10.

_____

_____

11.

_____

_____

12.

_____

_____

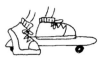

El transporte

autobús - the bus
en autobús - by bus
avión (m) - the plane
en avión - by plane
barco - the boat
en barco - by boat
bicicleta - the bicycle
en bicicleta - by bicycle
caballo - the horse
a / en caballo - by horse
el camión - the truck
en camión - by truck
la casa rodante - the motorhome
el coche, el carro - the car
en coche, en carro - by car
el globo (de aire caliente) - the hot-air balloon
en globo (de aire caliente) - by hot-air balloon
el helicóptero - the helicopter
en helicóptero - by helicopter
el metro - the subway
en metro - by subway
la motocicleta - the motorcycle
en motocicleta- by motorcycle
la motonieve - the snowmobile
en motonieve - by snowmobile
en patines (en línea) - by roller blades
a pie - by foot
el servicio regular - the shuttle
en servicio regular - by shuttle
la patineta - the skateboard
en patineta - by skateboard
el taxi - the taxi
en taxi - by taxi
el tren - the train
en tren - by train

Vocabulario suplementario

el aeropuerto - the airport
el agente de viajes - the travel agent
bajarse - to go down, get off (the train, bus)
el boleto - the ticket
el boleto de ida - a one way ticket
el boleto / de ida y vuelta - a round trip ticket
cambiar - to change
dar una vuelta - to go for a ride
deber - to have to (do something), to owe
Debemos irnos a... - We have to go to...
Debemos bajarnos del autobús. -
We have to get off the bus.
descansar - to rest
encontrarse - to meet up with
la estación de metro - the subway station
la estación de tren - the train station
el horario - a schedule
ir / irse - to go, to leave
Me voy. - I leave., I'm leaving.
Me voy en coche. - I'm going by car.
Voy a París. - I'm going to Paris. (à + city)
Voy a España. - I'm going to Spain.
Voy a México. - I'm going to Canada.
el mercadito - the flea market
la parada - the bus stop
querer - to want
quiero - I want, I would like
regresar / volver / devolver - to return
la tarifa - the fare
tomar - to take
Tomo el metro. - I'm taking the subway.
el transporte - transportation
viajar - to travel
Viajo en avión. - I'm traveling by plane.
viajar fuera del país - to travel abroad
visitar, hacer una visita - to visit / pay a visit

viajar - to travel

yo viajo - I travel, I do travel
tú viajas - you travel (fam. sing.),...
él viaja - he travels..., **ella viaja** - she travels,...
usted viaja - you travel (form. sing.)...
nosotros viajamos - we travel,...
vosotros viajáis - you travel...,(pl.)
ustedes viajan - you travel (pl. form.),...
ellos/ellas viajan - they travel (masc./fem. pl.),...

El transporte - 1

Completa las frases siguientes con el medio de transporte apropiado.
Complete the following sentences with the correct mode of transportation.

en tren • en barco • en autobús • en motocicleta • en patineta • a caballo • en globo • en motonieve • en avión
en metro • por servicio regular • en coche • en bicicleta • en taxi • en patines en línea • en autocaravana • en helicóptero

1. Viajamos a Noruega _____.

2. Viajan _____.

3. Elena y Paulo montan _____.

4. Voy al oficina _____.

5. Vamos al chalé _____.

6. Elena va a la escuela _____.

7. Nuestros amigos van al centro _____.

8. Se van de vacaciones _____.

9. Vas a Montreál _____.

10. Vamos al aeropuerto _____.

11. Dan un paseo _____.

12. Paulo va al parque _____.

13. Viajamos a Francia _____.

14. Voy al cine _____.

15. Elena y Paulo dan un paseo _____.

16. Van a las montañas _____.

17. Das una vuelta _____.

92

El transporte - Sopa de letras

Encuentra las palabras siguientes.
Find the following words.

tren • el servicio regular • coche • bicicleta • taxi • metro • patines en línea • helicóptero • avión • carro

globo de aire caliente • motonieve • motocicleta • patineta • caballo • barco • autobús • autocaravana

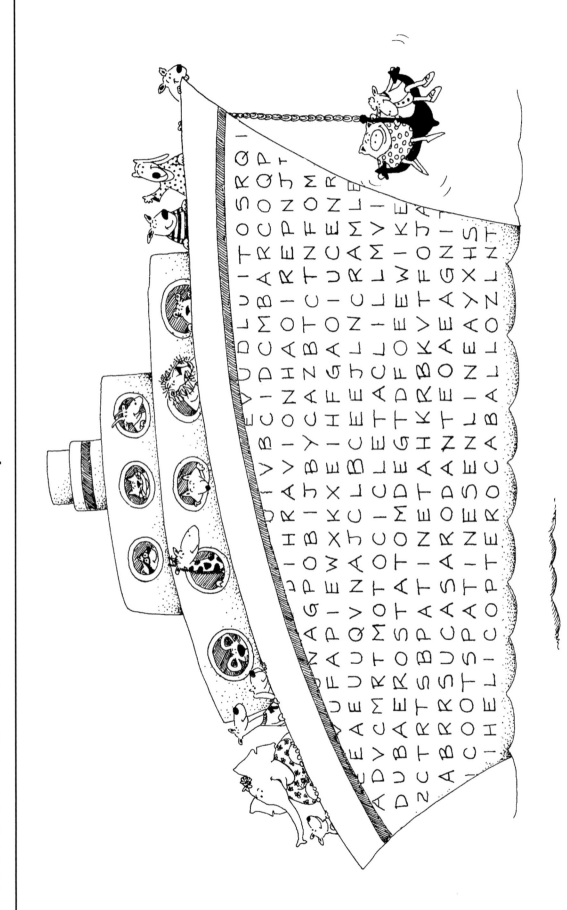

El metro

Paulo y Elena van a la ciudad de México. Díles en voz alta o escribe como se puede ir de un lugar al otro según lo que dicen. ¿Y tú? ¿A dónde quieres ir y como harías para ir a ese lugar? Paulo and Elena are going to Mexico city. Tell them or write how to go from one point to the other according to what they say. And you ? Where would you like to go and how would you get there?

Ejemplo: Estámos en el Zócalo y vamos al Museo de Historia Nacional. Tomamos la línea 2 del Zócalo, dirección Taxqueña. Cambiamos a Chabacano, tomamos la línea 1 dirección Observatorio y nos bajamos en la estación Observatorio.
Example: We are at Zócalo and we are going to the Museo de Historia Nacional. We take line 2 at Zócalo, direction Taxqueña. We change at Chabacano, take line 1, direction Observatorio and get off at the station Observatorio.

1) Queremos visitar a nuestros amigos Carmela y Jorge. Nuestro hotel se situa cerca de la estación, Nativitas.

2) Después de nuestra visita con Carmela y Jorge en su casa, queremos ir a la Zona Rosa.

3) De la Zona Rosa vamos a Ciudad Universitaria.

4) Después de Ciudad Universitaria, queremos ir al hotel para descansar un poco.

5) Por la noche, del hotel, salimos a Polanco.

6) El proximo día, del hotel vamos al Zoológico.

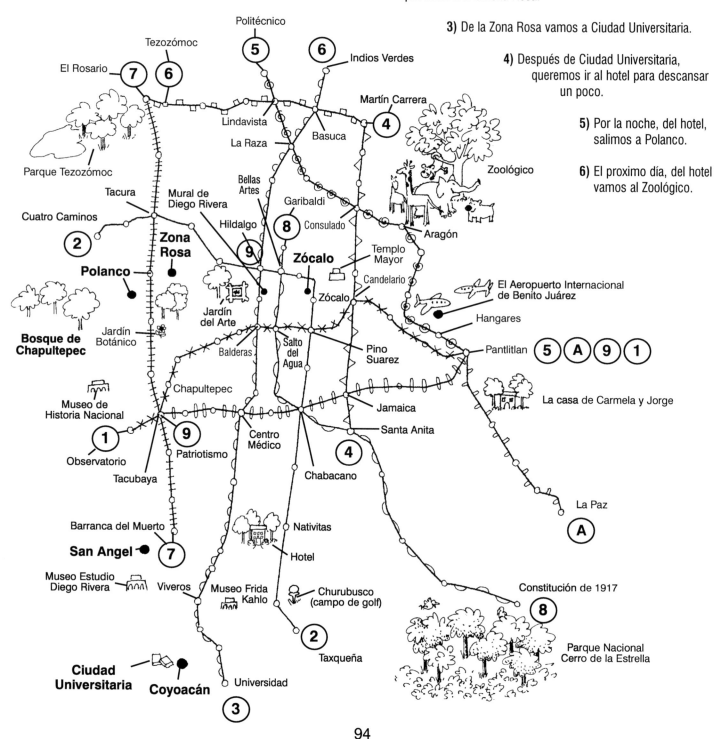

94

Un viaje alrededor del mundo - 1

**Di en voz alta el medio de transporte que Paulo y Elena van a usar para su viaje por todo el mundo utilizando el vocabulario de abajo.
Ejemplo: Elena y Paulo van en tren de México a Guadalajara.** Say out loud which kind of transportation you think that Paulo and Elena are going to take for their trip around the world by using the vocabulary below. Example: Elena and Paulo are going by train from Mexico city to Guadalajara.

en tren • en carro • en bicicleta • en taxi • en casa rodante • en helicóptero • en avión • en barco • en autobús • en motocicleta

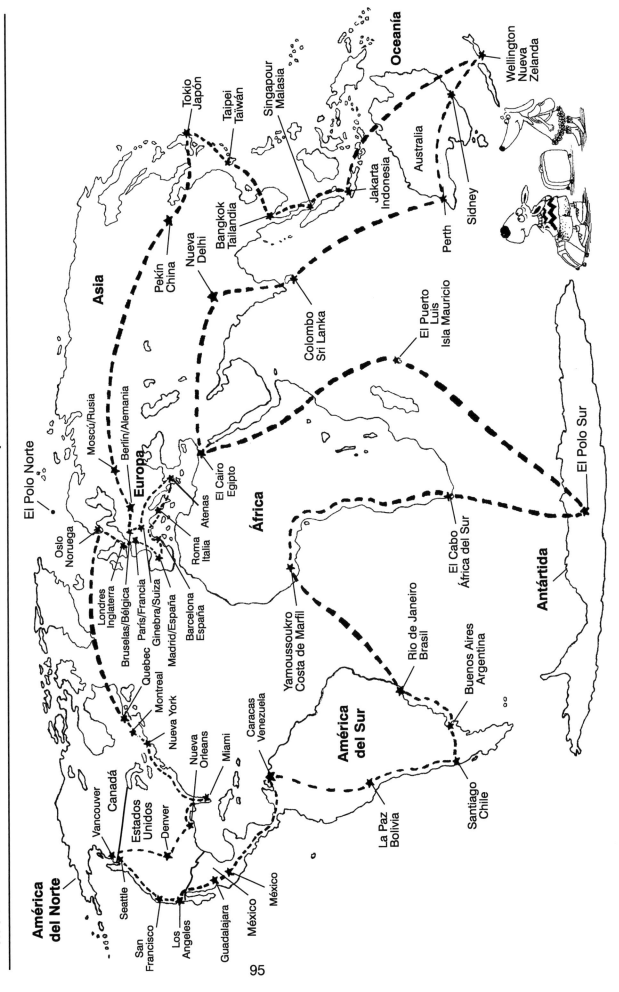

95

Un viaje alrededor del mundo - 2

¿Dónde están estas ciudades? ¿En qué país y en qué continente? Traza con una línea cada ciudad al país apropiado y después al continente apropiado. Ejemplo: Bangkok —— Tailandia —— Asia. ¿A dónde vas? Voy a Berlín. Voy a Francia. Voy a Canadá. Voy a África.

Where are these cities? In which country and in which continent? Draw a line between each city and the correct country and then the correct continent.

Example: Bangkok —— Thailand —— Asia. Where are you going? I'm going to Berlin. I'm going to Belgium. I'm going to Canada. I'm going to Africa.

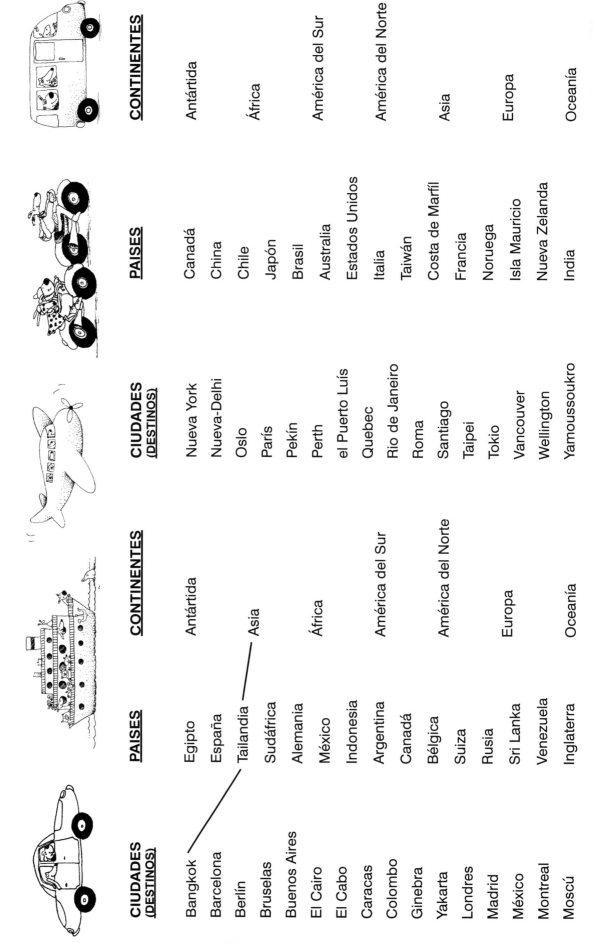

CIUDADES (DESTINOS)	PAISES	CONTINENTES
Bangkok	Egipto	Antártida
Barcelona	España	
Berlín	Tailandia	Asia
Bruselas	Sudáfrica	
Buenos Aires	Alemania	África
El Cairo	México	
El Cabo	Indonesia	América del Sur
Caracas	Argentina	
Colombo	Canadá	América del Norte
Ginebra	Bélgica	
Yakarta	Suiza	Europa
Londres	Rusia	
Madrid	Sri Lanka	
México	Venezuela	Oceanía
Montreal	Inglaterra	
Moscú		

CIUDADES (DESTINOS)	PAISES	CONTINENTES
Nueva York	Canadá	Antártida
Nueva-Delhi	China	
Oslo	Chile	África
París	Japón	
Pekín	Brasil	América del Sur
Perth	Australia	
el Puerto Luís	Estados Unidos	América del Norte
Quebec	Italia	
Rio de Janeiro	Taiwán	Asia
Roma	Costa de Marfil	
Santiago	Francia	
Taipei	Noruega	Europa
Tokio	Isla Mauricio	
Vancouver	Nueva Zelanda	
Wellington	India	Oceanía
Yamoussoukro		

96

El transporte - El viaje y el intinerario

Para saber un poco más sobre el viaje de Paulo y Elena, completa las frases siguientes con el transporte apropiado. To find out a bit more on Paulo's and Elena's trip, complete the following sentences with the correct mode of transportation.

**barco • autobús • motocicletas • carro • bicicleta
tren • taxi • avión • camioneta**

Sábado, 5 junio, a las diez de la mañana, vamos al aeropuerto en  y tomamos

el  para ir a Oslo. Después de ocho días en Noruega, nos vamos a Londres en

 donde vamos a pasar una semana y dar una vuelta en  al campo.

Luego, bajamos a Madrid en  . De Madrid, nos vamos a Barcelona en

 . En Barcelona, vamos a alquilar un  y vamos a conducir por

toda la costa mediterránea hasta la frontera italiana donde vamos a tomar un  para

navegar a lo largo de la costa italiana. Vamos a pararnos en el puerto más cercano a Roma. En el

puerto, un amigo va a pasar a recogernos en  y va a llevarnos al centro. Después

de una semana en Roma, nuestro amigo va a prestarnos unas  y vamos todos a

visitar el país. ¡Y es solamente el comienzo de nuestro viaje!

El viaje

El teléfono público, el cajero automático y los artículos para el viaje
The telephone, the ATM machine and things for the trip

la almohada - a pillow
el auricular - the receiver/handset of the phone
bajar(se) - to go down, to get down
un bloc - a pad of paper
la cámara digital - a digital camera
la clave, el NIP, el número secreto - the (secret) code
colgar el teléfono - to hang up the phone
Cuelga el teléfono. - He / She hangs up the phone.
la conferencia / la llamada - a long distance call
la contestadora (automática) - the answering machine
cheques de viajero (m) - traveler's checks
decir - to say, to tell
dejar un mesaje - to leave a message
descolgar el teléfono - to take the phone off the hook
dinero (m) - money
elegir la suma - to choose the sum
empezar, comenzar - to begin, to start
esperar - to wait
la guia telefónica - the phone book
una guía turística - a travel guide book
hacer una llamada - to make a call
el importe - the sum
introducir - to insert, to place
La línea está ocupada. - The line is busy.
llamar / hablar (por teléfono), hacer una llamada - to telephone, to call, to make a call
llamar más tarde / volver a llamar - to call back
marcar / pulsar - to press
marcar el número - to dial the number
el número de teléfono - the telephone number
pasaporte (m) - pasaportes
el prefijo - the area code
recomendar - to recommend
una riñonera - a money belt
sacar - to take out (the telephone card)
una tarjeta bancaria - a debit card / bank card
una tarjeta de crédito - a credit card
una tarjeta telefónica / de teléfono - a telephone card
el teclado - the keyboard
las teclas - the keys / buttons
tener dolor de cabeza - to have a headache
el tono - the dial tone
validar - to validate
volver a marcar - to redial
zapatos para caminar (m) - walking shoes

La aduana - Customs

la aduana - customs
el aeropuerto - the airport
billetes (m) / boletos (m) - tickets
confirmar - to comfirm
de / con anticipación - ahead of time
dejar pasar - to let pass (through)
documentar / registrarse - to check in
el empleado/a de aduana - the customs officer
el equipaje - the luggage
especialmente - especially
hacer preguntas - to ask questions
ir, irse - to go
llegar - to arrive
el mostrador - the check in (at the airport)
olvidar, olvidarse - to forget
para viajar (un viaje) al extranjero - to travel abroad
el pasaporte - the passport
pasar - to pass (through), to spend (time)
pasar por la aduana - to go through customs
presentarse - to appear, to come (show up)
recoger - to retrieve, collect, pick up
ser necesario / Es necesario... - to be necessary / It is necessary...
tener que/Tengo que... - to have to/I have to...
tomar - to take
tomar un taxi - to take a taxi
viajar - to travel
Yo viajo - I travel, I do travel, I'm traveling

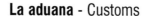

El viaje y lo que es necesario hacer

Completa las frases siguentes utilizando el vocabulario de abajo.
The trip and what do you have to do. Complete the following sentences by using the vocabulary below.

---

documentar • de anticipación • presentarse • tomar un taxi • pasaporte
billetes de avión • recoger • la aduana • valida • pasar la aduana

1.

Primero, **es necesario** _____
_____ para ir al aeropuerto.
Es necesario llegar al aeropuerto por lo
menos con dos horas _____
si viajas al extranjero.

2.

Después, **es necesario** _____
en el mostrador y _____
el equipaje. Es especialmente importante
no olvidar tu _____
y tus _____ .

3.

Cuando llegas al aeropuerto de tu destino,
es necesario _____ tu
equipaje si lo has documentado.

4.

Si no, **es necesario** ir directamente a _____
_____ . Es allí donde
el empleado de aduana te hace preguntas
sobre tu visita, la duración y _____
tu pasaporte. Si todo va bien, te deja pasar. A
eso se le llama _____ .

El teléfono público

Completa las frases siguientes utilizando el vocabulario de abajo.
Complete the following sentences by using the vocabulary below.

la contesdadora automática

el tono

el auricular

marca

llamar mas tarde

el prefijo

la guia telefónica

cuelga el teléfono

vuelve a marcar

llamar por teléfono

saca

tarjeta de teléfono

Elena quiere _____ a sus padres para decirles que todo va bien.
Para llamar, Elena descuelga _____ y espera _____.
Luego, introduce su _____ y después _____
el número pulsando sobre las teclas. Ya que es una conferencia, antes de marcar el número,
debe marcar _____ del país y después el número de teléfono.
Cuando llama la primera vez, la línea está ocupada, entonces _____. _____
_____. Elena espera algunos minutos, descuelga y _____ el número.
Esta vez, es _____ que contesta entonces Elena deja un mesaje.
Dice que va a _____. Luego, cuelga el teléfono y decide buscar
en _____ el nombre de un restaurante que un amigo de Paulo reco-
mendó. Desgraciadamente no lo encuentra entonces _____ su tarjeta de
teléfono y se baja de Paulo, porque a Paulo le duele la cabeza.

100

Durante su viaje

Paulo y Elena van a necesitar dinero durante su viaje. Para sacar dinero del cajero automático, pon en orden los cinco pasos escribiendo los números de 1 a 5. Paulo and Elena will need money during their trip. To get money out of the ATM (automated transaction machine), put the five steps in order by writing the numbers from 1 to 5.

¡ Saca tu dinero !

Marca sobre "validar" para confirmar.

Marca tu clave.

Introduce tu tarjeta bancaria.

Elige la suma que quieres.

Las cosas que Paulo y Elena van a necesitar para su viaje

Aquí hay otras cosas que Paulo y Elena van a necesitar para su viaje. Escribe el número apropiado en cada cuadro. Here are some other things Paulo and Elena will need for the trip. Write the correct number in each box.

☐ una tarjeta de crédito ☐ una almohada ☐ una guía turística ☐ una tarjeta de teléfono

☐ zapatos para caminar ☐ una riñonera ☐ una tarjeta bancaria ☐ pasaportes

1. 2. 3. 4.

5. 6. 7. 8.

Los verbos regulares y pronominales al presente
Regular and Reflexive Verbs in the Present Tense

hablar - to speak

yo hablo - I speak, I do speak
tú hablas - you speak (familiar singular) ...
usted habla - you speak (formal singular) ...
él/ella habla - he/she speaks ...
nosotros hablamos - we speak ...
vosotros habláis - you (familiar plural) ...
ustedes hablan - you speak (plural) ...
ellos/ellas hablan - they speak (masc./fem. plural) ...

ayudar - to help
andar(se) - to walk, to go
bajar(se) - to go down, descend, lower, get off of
bailar - to dance
buscar - to look for
caminar - to walk
cantar - to sing

cenar - to have dinner
comprar - to buy
llevar - to carry, to wear
contestar - to answer
cortar - to cut (out)
cuidar - to look after, to tend
desayunar - to have breakfast
descansar - to rest, to relax
doblar - to bend, to fold, to double
escuchar - to listen
esperar - to hope for, to expect, to wait (for)
estudiar - to study
ganar - to win, to earn
gritar - to shout
guardar - to keep, to hold
gustar - to please, to be pleasing
lavar - to wash
llamar - to call
llegar - to arrive

mirar - to look (at), to watch
nadar - to swim
necesitar - to have to, to need (to)
ordenar - to order
pasear (se) - to walk, to go for a stroll
practicar - to practice
preparar - to prepare
llevar - to carry, to wear
rellenar - to fill out, to refill
sacar - to take out (off), to remove
telefonear - to telephone
terminar - to finish
tirar - to pull, to throw
tocar - to touch, to play a musical instrument
tomar - to take, to drink
trabajar - to work
tratar - to try, to attempt
usar - to use
viajar - to travel

comer - to eat

yo como - I eat, I do eat
tú comes - you eat (familiar singular)
usted come - you eat (form. sing.)
él/ella come - he/she eats
nosotros comemos - we eat
vosotros coméis - you eat (familiar plural) ...
ustedes comen - you eat (pl.)
ellos/ellas comen - they eat (masc./fem. plural)

aprender - to learn
barrer - to sweep
beber - to drink
comer - to eat
correr - to run
comprender - to understand

deber - to be supposed to
leer - to read
prender - to turn on
romper - to break
vender - to sell
ver - to see

abrir - to open

yo abro - I open, I do open
tú abres - you open (fam. sing.)
usted abre - you open (form. sing.)
él/ella abre - he/she opens
nosotros abrimos - we open
vosotros abrís - you open (familiar plural) ...
ustedes abren - you open (pl.)
ellos/ellas abren - they open (masc.fem. pl.)

abrir - to open
añadir - to add
aplaudir - to applaud
asistir - to attend
discutir - to discuss
describir - to describe

interrumpir - to interrupt
escribir - to write
ocurrir - to happen
recibir - to receive
subir - to go up, to climb, to raise
vivir - to live

Los verbos reflexivos -
Reflexive Verbs

lavarse - to wash (oneself)

yo me lavo - I wash, I do wash...
tú te lavas - you wash (fam. sing.) ...
usted se lava - you wash (form. sing.) ...
él/ella se lava - he/she washes ...
nosotros nos lavamos - we wash ...
vosotros os laváis - you wash (fam. pl.) ...
ustedes se lavan - you wash (pl.) ...
ellos/ellas se lavan - they wash (masc./fem. pl.) ...

acostarse (ue) - to go to bed
aplicarse - to apply oneself
derretirse - to melt
despertarse (ie) - to wake up
dormirse (ue) - to fall asleep
cepillarse - to brush oneself
bañarse - to bathe
ducharse - to take a shower
enfadarse - to get angry
informarse - to get information
interesarse - to be interested (in)
llamarse - to be named, to be called

llevarse - to get along
lavarse - to wash oneself
levantarse - to get up
mancharse - to get dirty
olvidarse - to forget
ponerse - to put on clothing
preguntarse - to wonder
preocuparse - to be worried
prepararse - to get ready
quitarse - to take off clothing
ruborizarse - to blush
vestirse - to get dressed

La negación - The Negative

No tomo un café. - I am **not** having a coffee.
Tú **no** escribes a tu amigo. - You are **not** writing to your friend.
No vivimos aquí. - We do **not** live here.
Vosotros **no** escucháis. - You are **not** listening.

Ellos **no** se diverten. - They are not having fun.
Ella **no** se preocupa por él. - She does **not** worry about him.
¿Usted **no** se lava las manos? - You're not washing your hands?
Ustedes **no** miran. - You are **not** watching.

El presente
Los verbos regulares

Completa las frases siguientes en forma afirmativa o negativa según el caso con la ayuda de los verbos entre paréntesis y escribe el número apropiado en cada caja. Complete the following sentences in the affirmative and / or in the negative with the help of the verbs in parentheses and write the correct number in the box.

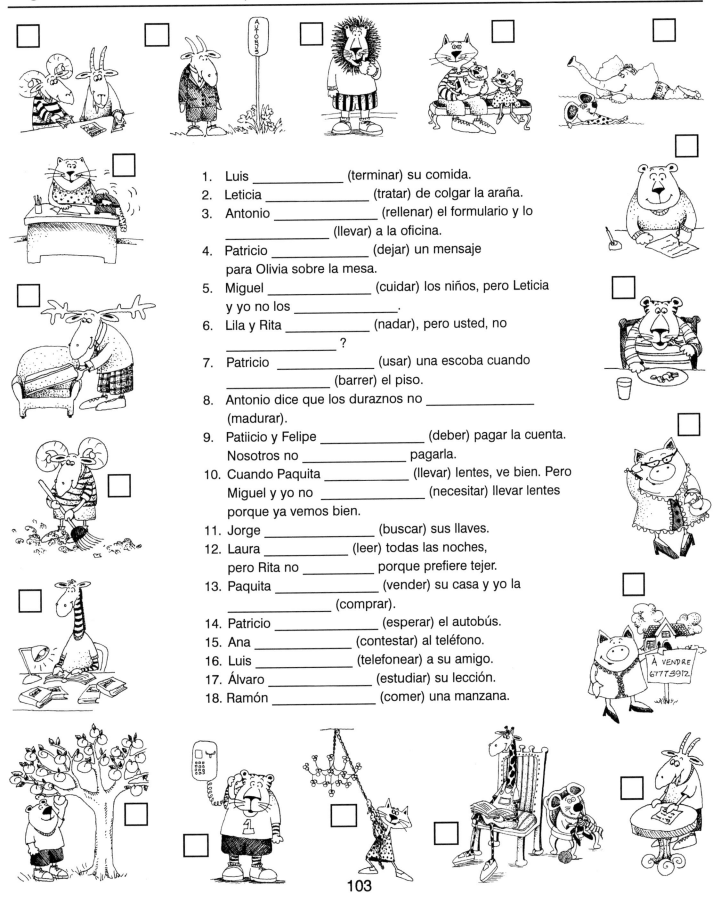

1. Luis _____ (terminar) su comida.
2. Leticia _____ (tratar) de colgar la araña.
3. Antonio _____ (rellenar) el formulario y lo _____ (llevar) a la oficina.
4. Patricio _____ (dejar) un mensaje para Olivia sobre la mesa.
5. Miguel _____ (cuidar) los niños, pero Leticia y yo no los _____.
6. Lila y Rita _____ (nadar), pero usted, no _____ ?
7. Patricio _____ (usar) una escoba cuando _____ (barrer) el piso.
8. Antonio dice que los duraznos no _____ (madurar).
9. Patiicio y Felipe _____ (deber) pagar la cuenta. Nosotros no _____ pagarla.
10. Cuando Paquita _____ (llevar) lentes, ve bien. Pero Miguel y yo no _____ (necesitar) llevar lentes porque ya vemos bien.
11. Jorge _____ (buscar) sus llaves.
12. Laura _____ (leer) todas las noches, pero Rita no _____ porque prefiere tejer.
13. Paquita _____ (vender) su casa y yo la _____ (comprar).
14. Patricio _____ (esperar) el autobús.
15. Ana _____ (contestar) al teléfono.
16. Luis _____ (telefonear) a su amigo.
17. Álvaro _____ (estudiar) su lección.
18. Ramón _____ (comer) una manzana.

103

El presente
Los verbos regulares

Completa las frases siguientes en forma afirmativa o negativa según el caso con la ayuda de los verbos entre paréntesis. Complete the following sentences in the affirmative and / or in the negative with the help of the verbs in parentheses.

1. Ana _____ (abrir) la ventana porque hace buen tiempo y los pájaros _____ (cantar).

2. Antonio _____ (prender) su nueva televisión que _____ (acabar) de comprar.

3. Paquita _____ (cambiar) de parecer por lo menos 5 minutos antes de comprar algo.

4. Elena _____ (escribir) una carta a su tía cada semana porque _____ (recibir) una carta de su tía cada semana.

5. Elena _____ (deber) acortar su vestido. y _____ (añadir) también una orilla.

6. Sofía _____ (sacar) las zanahorias del refrigerador y yo las _____ (comer).

7. Felipe _____ (interrumpir) a Patricio y Mario cuando _____ (discutir).

8. Sofía no _____ (vivir) muy lejos de su oficina pero va tarde entonces (correr) _____.

9. Elena _____ (beber) una limonada. Paulo _____ (tomar) un café.

10. Olivia no _____ (eschuchar) a Paquita cuando le _____ (hablar).

11. Rita _____ (bailar), pero Lorenzo no _____.

12. Paulo y yo, nosotros _____ (tomar) un café.

El presente
Los verbos pronominales

Completa las frases siguientes en forma afirmativa o negativa según el caso con la ayuda de los verbos entre paréntesis. Complete the following sentences in the affirmative and / or in the negative with the help of the verbs in parentheses.

1. Elena _____ (preocuparse), pero Paulo no _____ .

2. Jorge _____ (interesarse) por todo, pero yo no _____ por todo.

3. El muñeco de nieve _____ (derretirse) a causa del sol.

4. Yo siempre _____ _____ (mancharse) mi vestido cuando como helado.

5. Laura y yo, _____ _____ (llevarse) bien y _____ (divertirse) mucho.

6. Ramón y Laura _____ _____ (ruborizarse) cuando se ven.

7. Olivia _____ (prepararse) temprano por la mañana y _____ (vestirse) para ir al trabajo.

8. Paquita y Luis _____ _____ (informarse) sobre los viajes.

9. Luis _____ (lavarse) siempre las manos antes la comida y nosotros _____ también.

10. Yo _____ (cepillarse) los dientes despues de la comida. ¿Y tu? ¿_____ los dientes después de la comida?

11. Patricio _____ (olvidarse) siempre donde pone sus llaves y Roberto _____ (enfadarse) por lo mismo.

12. Paquita y sus amigas _____ (encontrarse) en el cine y _____ (entusiasmarse) por esta película.

Los verbos irregulares al presente - 1
Irregular Verbs in the Present Tense

---

ir - to go

yo voy - I go, I do go, I am going
tú vas - you go (fam. sing.), ...
usted va - you go (form. sing.), ...
él/ella va - he/she goes, ...
nosotros vamos - we go, ...
vosotros vais - you go (fam. pl.), ...
ustedes van - you go (form. pl.), ...
ellos/ellas van - they go (masc./fem. pl.)

tener - to have

yo tengo - I have, I do have
tú tienes - you have
usted tiene - you have...
él/ella tiene - he/she has, ...
nosotros tenemos - we have, ...
vosotros tenéis - you have
ustedes tienen - you have
ellos/ellas tienen - they have

saber - to know

yo sé - I know...
tú sabes - you eat
usted sabe - you eat
él/ella sabe - he/she eats
nosotros sabemos - we eat
vosotros sabéis - you eat
ustedes saben - you eat
ellos/ellas saben - they eat

dar - to give

yo doy - I give...
tú das - you give
usted da - you give...
él/ella da - he/she gives, ...
nosotros damos - give - we have, ...
vosotros dais - you give
ustedes dan - give - you have
ellos/ellas dan - give - they have

decir - to say, to tell

yo digo - I eat...
tú dices - you eat
usted dice - you eat
él/ella dice - he/she eats
nosotros decimos - we eat
vosotros decís - you eat
ustedes dicen - you eat
ellos/ellas dicen - they eat

oir - to hear

yo oigo - I open...
tú oyes - you open
usted oye - you open
él/ella oye - he/she opens
nosotros oímos - we open
vosotros oís - you open
ustedes oyen - you open
ellos/ellas oyen - they open

ver - to see

yo veo - I see...
tú ves - you eat
usted ve - you eat
él/ella ve - he/she eats
nosotros vemos - we eat
vosotros veis - you eat
ustedes ven - you eat
ellos/ellas ven- they eat

poner - to put

yo pongo - I put ...
tú pones - you open
usted pone - you open
él/ella pone - he/she opens
nosotros ponemos - we open
vosotros ponéis - you open
ustedes ponen - you open
ellos/ellas ponen - they open

Other verbs like poner that have the same "g" in the "yo" form: (All other forms are regular.)

caer - to fall
hacer - to make, to do
salir - to go out
traer - to bring
distraer - to distract
atraer - to attract
componer - to compose
suponer - to suppose

venir - to come

yo vengo - I open...
tú vienes - you open
usted viene - you open
él/ella viene - he/she opens
nosotros venimos - we open
vosotros venís - you open
ustedes vienen - you open
ellos/ellas vienen - they open

Other verbs that are conjugated like "venir":

tener - to have (**tengo/tenemos...**)
contener - to contain
detener - to stop, to detain
mantener - to maintain
obtener - to obtain
retener - to retain

conocer - to know

yo conozco - I know...
tú conoces - you know
usted conoce - you know
él/ella conoce - he/she knows
nosotros conocemos - we know
vosotros conocéis - you know
ustedes conocen - you know
ellos/ellas conocen - they know

Other "cer" and "ucir" verbs that change to "zco" or "zo" in the "yo" form: (All other forms are regular.)
agradecer ("zco") - to thank
aparecer ("zco") - to appear
conducir ("zco") - to drive
convencerse ("zco") - to convince
crecer ("zco") - to grow
desaparecer ("zco") - to disappear
establecer ("zco") - to establish
lucir ("zco") - to shine, show off
merecer ("zco") - to deserve

obedecer ("zco")- to obey
ofrecer ("zco")- to offer
parecer_("zco")- to seem
producir ("zco") - to produce
reducir ("zco") - to reduce
traducir ("zco") - to translate
•**cocer ("zo" also "o" to "ue")** - to cook
•**ejercer ("zo")** - to exercise
•**torcer ("zo" also "o" to "ue")** - to twist
•**vencer ("zo")** - to conquer, overcome

Los verbos irregulares al presente - 2
Irregular Verbs in the Present Tense with spelling changes

poder - to be

yo puedo - I can
tú puedes - you can (fam. sing.)
usted puede - you can (form. sing.)
él/ella puede - he / she can
nosotros podemos - we can
vosotros podéis - you can (form. pl.)
ustedes pueden - you can (pl.)
ellos/ellas pueden - they can (masc./fem pl.)

querer - to want, love

yo quiero - I want,...
tú quieres - you want...
usted quiere - you want...
él/ella quiere - he/she wants...
nosotros queremos - we want...
vosotros queréis - you want...
ustedes quieren - you want...
ellos/ellas quieren - they want...

volver - to return

yo vuelvo - I return...
tú vuelves - you return...
usted vuelve - you return...
él/ella vuelve - he/she returns...
nosotros volvemos - we return...
vosotros volvéis - you return...
ustedes vuelven - you return...
ellos/ellas vuelven - they return...

pensar - to think

yo pienso - I think,...
tú piensas - you think...
usted piensa - you think...
él/ella piensa - he/she thinks...
nosotros pensamos - we think...
vosotros piensáis - you think...
ustedes piensan - you think...
ellos/ellas piensan - they think...

Other verbs like poder and volver:

acostar(se) - to put to bed, go to bed
almorzar - to have lunch
contar - to count, tell
costar - to cost
demostrar - to show
devolver - to return, give back
dormir - to sleep
doler - to hurt, ache
encontrar - to find
jugar ("u" to "ue") - to play
probar(se) - to try, taste, try on

Other verbs like querer and pensar:

cerrar - to close
comenzar/empezar - to begin
confesar - to confess
convertir - to convert
despertar(se) - to wake up
entender - to understand
mentir - to lie
perder - to lose
preferir - to prefer

pedir - to ask for, request

yo pido - I ask...
tú pides - you ask...
usted pide - you ask...
él/ella pide - he/she asks...
nosotros pedimos - we ask...
vosotros pedís - you ask...
ustedes piden - you ask
ellos/ellas piden - they ask...

Other verbs like pedir:

conseguir - to get, acquire
distinguir - to distinguish
medir - to measure
reír(se) - to laugh
reñir - to quarrel, scold
repetir - to repeat
seguir - to follow
servir - to serve

construir - to build

yo construyo - I build...
tú construyes - you build...
usted construye - you build...
él/ella construye - he/she builds...
nosotros construimos - we build...
vosotros construís - you build...
ustedes construyen - you build...
ellos/ellas construyen - they build...

Other verbs like construir:

atribuir - to attribute
concluir - to conclude
destruir - to destroy
distribuir - to destribute
huir - to flee
incluir - to include
influir - to influence
sustituir - to substitute

escoger - to choose

yo escojo - I regret...
tú escoges - you regret...
usted escoge - you regret...
él/ella escoge - he/she regrets...
nosotros escogemos - we regret...
vosotros escogéis - you regret...
ustedes escogen - you regret...
ellos/ellas escogen - they regret...

Other verbs like escoger:

coger - to grab, snatch
corregir ("e" to "i") - to correct
dirigir - to direct
elegir ("e" to "i") - to elect
encoger - to shrink
exigir - to demand
proteger - to protect
recoger - to gather, pick up

guiar - to guide

yo guío - I guide...
tú guías - you guide...
usted guía - you guide...
él/ella guía - he/she guides...
nosotros guiamos - we guide...
vosotros guiáis - you guide...
ustedes guían - you guide...
ellos/ellas guían - they guide...

continuar - to continue

yo continúo - I continue...
tú continúas - you continue...
usted continúa- you continue...
él/ella continúa - he/she continues...
nosotros continuamos - we continue...
vosotros continuáis - you continue...
ustedes continúan - you continue...
ellos/ellas continúan - they continue...

Other verbs like guiar and continuar:

actuar - to act
confiar(se) (en) - to confide (in)
enviar - to send
espiar - to spy
fiarse (de) - to trust
graduarse - to graduate
resfriarse - to catch a cold
variar - to vary

El presente
Los verbos irregulares

Completa las frases siguientes en forma afirmativa o negativa según el caso con la ayuda de los verbos entre paréntesis. Complete the following sentences in the affirmative and / or in the negative with the help of the verbs in parentheses.

1. Sofía _____ (ofrecer) una torta a sus amigos y yo _____ chocolates.

2. Raúl, tu _____ (crecer) rapidemente pero yo _____ lentemente.

3. Sofía _____ (dormir) bien en su cama pero nosotros no _____ bien.

4. Caterina _____ (oir) un ruido pero yo no _____ nada.

5. Ramón no _____ (poder) trepar el árbol, pero Raúl y yo _____ (poder) treparlo.

6. Mario _____ (querer) salir, pero yo no _____ salir porque _____ (tener) que quedarme en la casa y trabajar.

7. Lorenzo _____ (venir) de París y yo _____ de Madrid. ¿De dónde _____ ustedes?

8. Manuela _____ (colgar) la ropa hoy y nosotros _____ la ropa mañana si no _____ (llover).

9. Luis y Olivia no se _____ (conocer) pero yo_____ a Luis y a Olivia.

10. Clara y Olivia _____ (preferir) usar sombreros cuando hace sol. Pero Elena y yo _____ (preferir) usar gafas de sol.

11. Yo _____ (poner) los documentos sobre la mesa y Luis _____ (poder) leerlos cuando _____ (querer).

12. Antonio _____ (saber) la respuesta. ¿ _____ tú la respuesta. No, yo no _____ (saber) la respuesta.

El presente
Los verbos irregulares

Completa las frases siguientes en forma afirmativa o negativa según el caso con la ayuda de los verbos entre paréntesis. Complete the following sentences in the affirmative and / or in the negative with the help of the verbs in parentheses.

1. Antonio _____ (distribuir) folletos los martes y nosotros los _____ los viernes.

2. Paulo _____ (continuar) a estudiar porque _____ (empezar) a entender la lección.

3. Leticia _____ (cerrar) la ventana porque _____ (hacer) frio.

4. Yo _____ (devolver) una pelicula y voy a alquilar una que Elena _____ (recomender).

5. Ramón _____ (traer) un pastel, Paquita _____ pan y yo _____ una canasta de frutas.

6. Los jueves yo _____ (seguir) a Mario al parque y nosotros _____ (jugar) béisbol.

7. Yo _____ (demostrar) a mis amigas como preparar mis platos preferidos cuando ellas _____ (venir) los martes.

8. "¿Cuanto _____ (costar)?" "Cien pesos. ¿Comó prefiere usted pagar?" "Yo _____ (soler) pagar con una tarjeta de crédito."

9. Lorenzo _____ (mostrar) a Rita fotografías de México y ellos _____ (recordar) muchas cosas de este viaje.

10. Luis _____ (almorzar) rapidamente pero yo _____ lentemente.

11. Cuando Antonio _____ (perder) sus cosas, jamás las _____ (encontrar).

12. Caterina _____ (escoger) un vestido para su fiesta de cupleaños.

El presente
Repaso de verbos

Completa las frases siguientes en forma afirmativa o negativa según el caso con la ayuda de los verbos entre paréntesis. Complete the following sentences in the affirmative and / or in the negative with the help of the verbs in parentheses.

1. Olivia, usted _____ _____ (despertarse) muy tarde los sábados.

2. Elena _____ (recoger) todas sus cosas antes de salir.

3. Paulo _____ (decir) que le _____ (doler) el pie.

4. Antonio y yo, nosotros _____ (llegar) siempre a la hora.

5. Elena _____ (dar) un regalo a Paulo y yo le _____ un regalo también por su cumpleaños.

6. Paquita me _____ (decir) que yo _____ (tener) razón y que nosotros _____ (tener) mucha suerte.

7. Luis _____ (repetir) todo lo que dice el profesor pero los otros estudiantes no _____ todo.

8. Carlota _____ (ayudar) a Olivia, pero Tomás no _____ .

9. Paquita y yo, _____ _____ (ponerse) nuestro abrigo y nuestro sombrero.

10. Luis _____ (pasar) por la casa de Paulo porque le _____ (gustar) visitarlo.

11. Paquita no _____ (entender) la historia que Daniel le _____ (contar).

12. Patricio _____ (aplicarse) en su trabajo pero, yo no _____ .

13. Rita _____ (ganar) a Lorenzo en Scrabble.

14. Yo _____ (preguntarse) si hay chocolate en la alcena.

15. Olivia _____ (ver) la televisión, pero Paricio no _____ la televisión.

16. Elena dice a Paulo que _____ (volver) en diez minutos.

Los verbos irregulares al presente - 3 • Ser y Estar
Irregular Verbs in the Present Tense

ser - to be

yo soy - I am
tú eres - you are (fam. sing.)
usted es - you are (form. sing.)
él / ella es - he / she is
nosotros somos - we are
vosotros sois - you are (pl.)
ustedes son - you are (pl.)
ellos son - they are (masc. pl.)
ellas son - they are (fem. pl.)

Uses of "ser"

1. After most phrases using **"de"** following the verb **"ser"**.

Soy de los Estados Unidos. - I'm from the United States.
Este libro es de Felipe. - This book belongs to Felipe.
El vestido es de algadón. - The dress is made of cotton.

2. Before adjectives expressing characteristics or qualities such as **nationality, age, physical and moral attributes, personality, religion, color, profession, time, days of the week, dates and where an advent takes place.**

Mi padre es español. - My father is Spanish.
Este actor es muy conocido. - This actor is very famous.
Anita es alta y morena. - Anita is tall and brunette.
Yo soy inteligente. - I am intelligent.
Nuestra casa es roja. - Our house is red.
Son las dos y media. - It's two thirty.
Somos profesoras. - We are teachers.
¿Qué fecha es hoy? - Es el ocho de junio.
What is the date today? - It's the eighth of June.
¿Qué día es hoy? - Es sábado.
What day is it today? - It's Saturday.
¿Dónde es la fiesta? - Es en mi casa.
Where is the party? - It's at my house.

Expressions with "ser"

¿Cómo es usted? - What are you like? - look like?
¿De dónde es usted? - Where are you from?
¿De qué color es...? - What color is...?
¿Cuál es su nacionalidad? - What is you nationality?
Es importante.../necesario.../possible... etc. - It's important.../necessary.../possible... etc.

estar - to be (place or condition)

yo estoy - I am
tú estás - you are (fam. sing.)
usted está - you are (form. sing.)
él / ella está - he / she is
nosotros estamos - we are
vosotros estáis - you are (pl.)
ustedes están - you are (pl.)
ellos están - they are (masc. pl.)
ellas están - they are (fem. pl.)

Uses of "estar"

1. **"Estar"** is used to express location or position.

Estamos en México. - We're in Mexico.
La tienda de ropa está cerca del mercado. - The clothing store is close to the market.

2. Before adjectives expressing a temporary condition such as **health, mood or a subjective impression by the person speaking.**

¿Cómo está Manuela? - How is Manuela?
Elena y Paulo están enfermos. - Elena and Paulo are sick.
La puerta está abierta. - The door is open.
Matilde está flaca. - Matilde is thin.* With the meaning of: (Matilde looks thin to me. / Matilde has gotten thin.)

3. **"Estar"** is used with the gerund to form the progressive tenses. The equivalent in English would be the **"ing"** forms of the verbs. - I am working. / I was working.

Estoy trabajando. (trabajar) - I am working.
Estoy comiendo. (comer) - I am eating.
Estoy escribiendo. (escribir) - I am writing.
Estaba trabajando. - I was working.

Expressions with "estar"

¿Cómo está usted? - How are you?
estar de acuerdo - Estoy de acuerdo. - to agree. - I agree.
estar de vacaciones - to be on vacation
estar de vuelta - to be back
estar por + infinitive (salir) - to be about to (leave)
estar a punto de + infinitive - to be about to (do something)

The meaning of a phrase can be completely changed depending on which verb "ser" or "estar" is used.

1. Anita es nerviosa. - Anita is a nervous person. / **Anita está nerviosa.** - Anita is feeling/seems nervous (to me).
2. Es seguro. - It is safe. / **Está seguro.** - He is certain/sure.
3. Marco es bueno. - Marco is a good person. / **El pastel es bueno.** - The cake is good.
4. Mi profesor es aburrido. - My professor is boring. / **Mi profesor está aburrido.** - My professor is bored.
5. Son listos. - They are clever. / **Están listos.** - They are ready.

Ser y estar - 1

Completa las frases siguientes en el presente eligiendo entre ser o estar según el caso.
Complete the following sentences in the present by choosing either "ser" or "estar" depending on the case.

1.¿De quién _____ este libro? _____ el libro de Carolina.

2. "¿Cómo _____?" " _____ bien, gracias."

3. El coche de Paulo _____ rojo.

4. 15. ¿Dónde _____ mi bolsa? _____ al lado de la silla.

5. _____ de acuerdo.

6. Mi profesor _____ muy inteligente.

7. La ventana _____ abierta.

8. Olivia perdió dos kilos. _____ muy delgada.

9. Ramón _____ comiendo.

10. Nosotros _____ de vacaciones.

11. Este actor _____ muy conocido.

12. Este vestido _____ de seda y _____ muy delicado.

Ser y estar - 2

Completa las frases siguientes en el presente eligiendo entre ser o estar según el caso.

Complete the following sentences in the present by choosing either "ser" or "estar" depending on the case.

1. Paquita _____ muy creativa.

2. Los tulipanes _____ muy bonitos.

3. Yo _____ español y mi padre es español. Entonces _____ españoles.

4. ¿Qué hora _____? _____ las nueve y cuarto.

5. Rico _____ muy alto y delgado.

6. "¿Dónde _____ (tú)?" "Yo _____ en el mercado."

7. Yo _____ de Costa Rica.

8. ¿Qué dia _____ hoy? _____ el 16 de julio.

9. Luis _____ atlético.

10. Rita y Lorenzo _____ contentos.

11. Nosotros _____ de vuelta.

12. Sofía _____ enferma.

Por y para

Common uses of the preposition para:

Destination or purpose:
Tomé el tren para Madrid. - I took the train for Madrid.
Yo terminaré para el jueves. - I will finish by Thursday.

Estudio para abogado. - I'm studying to be a lawyer.
Las flores son para tí. - The flowers are for you.
Estudio para mejorar mi español. - I'm studying to imporve my Spanish.

Standard for comparison:
Para actor tiene poca emoción. - For an actor, he doesn't have much emotion.

Opinion:
Para mí, la película fue excelente. - In my opinion, the film was excellent.

Common expressions and idioms:

para entonces - by that time
para otra vez - for another time
para siempre - forever
para variar - just for a change

"Este libro es para Felipe."

"Por fin Luis me trae mi libro."

Common uses of the preposition por:

Motion through a place or imprecise location:
Salga por esa puerta. - Go out through that door.
No lo veo por aquí. - I don't see it around here.

Duration of time:
Trabajó en París por muchos años. - He worked in Paris for many years.

Reason or cause:
Te felicito por tu excelente trabajo. - I congratulate you on your excellent work.

Means:
Por favor, mándeme un mensaje por correo electrónico. Send me a message by e-mail.

Reason for which, or the person for whose sake something is done:
Todo lo hice por tí. - Everything I did was for you.

Exchange or substitution:
Pagamos mucho dinero por esta bicicleta. - We paid a lot of money for this bicycle.

Common expressions and idioms:

por ahora - for now
por aquí, por acá - around here
por ahí, por allá - around there
por casualidad - if by chance
por cierto - by the way
por desgracia - unfortunately
por ejemplo - for example
por fín - finally
por lo común - usually
por lo demás - furthermore
por lo general - generally
por lo menos - at least
por lo pronto - for the time being
por lo tanto - therefore
por mi parte - as far as I'm concerned
por si acaso - just in case
por supuesto - of course

Por y Para

1. "Gracias _____ tu ayuda."
" _____ supuesto."

2. _____ lo general, Arturo envia una carta _____ correo a su familia cada semana.

3. _____ ahora, Elena va a la oficina _____ la mañana a pie.

4. _____ lo menos, cuando hace calor, yo puedo llevar un vestido.

5. _____ mi, no me gusta ir al cine. Prefiero aquilar un DVD pero no hay tiendas de DVD _____ aquí.

6. _____ entonces, estaré en casa y _____ mi parte, no querré salir de nuevo.

7. ¿Qué calle se toma _____ ir al museo? _____ lo comun, se toma La Calle de las Piñas.

8. Yo pongo estos papeles sobre la mesa _____ Marta si _____ casualidad pasa.

9. _____ atlético, Ricardo no es muy musculoso.

10. _____ desgracia no puede salir _____ esta puerta.

11. Yo voy a cerrar la ventana _____ si acaso llueve.

12. Tengo flores _____ tí y _____ variar, vamonos al restaurante.

13. _____ lo general, Olivia toma el autobús _____ Barcelona.

14. Estudio _____ muchos años _____ abogada.

15. Paquita hizo un pastel _____ Olivia _____ su cumpleaños.

16. ¿Conoce este barrio? _____ ejemplo, ¿sabe si hay restaurantes _____ acá?

El imperativo - The imperative

Formal commands are used by using the subjunctive form of the verb. Verbs **-ar** have the vowel ending **-e** and **-er** and **-ir** verbs have the vowel ending **-a**. The first person singular of the present indiciative is the root for the formation of the command form.

esperar - to wait - **espere (**usted) / **esperan (**ustedes)
comer - to eat - **coma (**usted) / **coman (**ustedes)
escribir - to write - **escriba (**usted) / **escriban (**ustedes)

The following are irregular command forms:

dar - to give - **dé (**usted) / **den (**ustedes)
estar - to be - **esté (**usted) / **estén (**ustedes)
ir - to go - **vaya (**usted) / **vayan (**ustedes)

ser - to be - **sea (**usted) / **sean (**ustedes)
saber - to know **sepa (**usted) **sepan (**ustedes)

The familiar form **tú** is the same as the present indicative form **minus the -s.** The following are the irregular forms. The **vosotros** form is found by **dropping the final -r on the infinitive and adding a -d except "idos"** which means **"go away".**

tú: **decir** - to say - **di**
hacer - to do/make - **haz**
ir - to go - **ve**
poner - to place/put - **pon**

salir - to leave - **sal**
ser - to be - **sé**
tener - to have - **ten**
venir - to come - **ven**

vosotros: **contestar** - to answer - **contestad**
vender - to sell - **vended**
abrir - to open - **abrid**
hablar - to talk - **hablad**

Negative forms: The present subjunctive is used for the **tú** and the **vosotros** forms.

tú: **dar** - to give - **no des**
escribir - to write - **no escribas**
esperar - to wait - **no esperes**
estar - to be - **no estés**

ir - to go - **no vayas**
poner - to put - **no pongas**
ser - to be - **no seas**
venir - to come - **no vengas**

vosotros: **comprar** - to buy - **no compréis**
comer - to eat - **no comáis**
pedir - to order - **no pidáis**
decir - to say - **no digáis**

First person command (Let's...): The subjunctive is also used to indicate the expression of - "Let's..." in the affirmative or negative forms. There is one exception which is the verb "**ir**". **"Vamos ahora."** - Let's go now.

Escribamos. - Let's write.
Comamos. - Let's eat.

No esperemos - Let's not wait.
No salgamos. - Let's not go out.

comprarse - to buy oneself • **¡Cómprate un vestido bonito!** - Buy yourself a beautiful dress! - informal singular
¡Cómprense un vestido guapo! Buy yourself a beautiful dress! - formal/informal plural
ir - to go •**¡Va a ver Alhambra en España!** - Go and see Alhambra in Spain!
¡Vayan a ver las pirámides en México! - Go and see the pyramids in Mexico! - formal/informal plural
divertirse - to have fun • **¡Diviértete!** - Have fun! - informal singular
¡Diviértanse! - Have fun! - formal/informal plural
llamar - to call • **¡Llámame!** - Call me! - informal singular
¡Llámennos! - Call us! - formal/informal plural
escribir - to write • **¡Escríbeme!** - Write me! - informal singular
¡Escríbannos! - Write us! - formal/informal plural
mandar - to send • **¡Mándame tarjetas!** - Send me postcards! - informal singular
¡Mándennos tarjetas! - Send us postcards! - formal/informal plural
tener - to have • tener cuidado - to be careful • **¡Ten cuidado!** - Be careful! - informal singular
¡Tengan cuidado! - formal/informal plural
decir - to say, to tell • **¡Dime!** - Let me know! - informal singular
¡Dígannos! - Let us know ! - formal/informal plural
preocuparse - to worry • **¡No te preocupes (por, de)!** - Don't worry (about ...)! - informal singular
¡No se preocupen (por, de)! - formal/informal plural
olvidarse - to forget • **¡No olvides tus boletos de avión! (¡Olvídate...!** - Don't forget your plane tickets! - informal singular
¡No se olviden sus boletos de avión! - Don't forget your plane tickets! - formal/informal plural
comprobar - to check • **¡Comprueba que tienes tu pasaporte! (No compruebes)** - Check that you have your passport!
¡Comprueben que tienen sus pasaportes! (No comprueben)- Check that you have your passports! - formal/informal plural
sacar - to take out, to take • **¡Saca fotografías!** - Take pictures! - informal singular
¡Saquen fotografías! - Take pictures! - formal/informal plural

El imperativo
The Imperative

Todo el mundo se dice adiós. Completa las frases utilizando el vocabulario de abajo.
Everyone says goodbye. Complete the following sentences by using the vocabulary below.

Tengan • Mándame • No se les olviden • Diviértanse • Llámennos • Escríbeme

Comprueben • No se preocupen • Dígannos • Saca • Cómprate • Vayan

1. ¡_____ tarjetas, Elena!

2. ¡_____ bién!

3. ¡_____ sus boletos de avión!

4. ¡_____ algunas palabras, Paulo!

5. ¡_____ fotografías, Elena!

6. ¡_____ un vestido muy guapo, Elena!

7. ¡_____ por la casa! La vigilaremos.

8. ¡_____ cuidado!

9. ¡_____ a ver la Alhambra en España y las pirámides en México!

10. ¡_____ si necesitan algo!

11. ¡_____ por teléfono para avisar cuando llegarán!

12. ¡_____ que tienen sus pasaportes!